JACQUES HÉBERT

Il naît en 1923, à Montréal, à l'angle des rues Saint-Denis et Sherbrooke. Après son cours classique et des études en commerce, il devient globe-trotter et correspondant itinérant du Devoir. Des voyages l'emmènent aux quatre coins du globe et des milliers de lecteurs suivent les récits qu'il en fait dans les journaux et ses livres. À trente ans, il fonde son propre journal, Vrai, dont le style pamphlétaire n'a jamais été égalé depuis. Plus tard, il fonde les Éditions du Jour qui produisent une floraison abondante d'idées et d'écrivains marquant le Québec des années 60. Jacques Hébert engage aussi de grands combats: il s'attaque au système carcéral, il entreprend un plaidoyer pour Coffin qu'il affirme avoir été pendu injustement. Infatigable, il fonde Jeunesse Canada Monde, puis Katimavik, cette école de vie pour les jeunes Canadiens. Plusieurs années plus tard, devenu sénateur, il défend, par un jeûne de vingt et un jours, la cause des jeunes et Katimavik que le gouvernement conservateur a décidé de saborder. Des milliers de jeunes Canadiens reconnaissent alors Jacques Hébert comme le Sénateur de la jeunesse qui ne manquera pas de se révéler aussi à eux comme un étonnant, drôle et bouleversant romancier. Les jeunes (et leurs parents) liront avec délectation (et terreur) Les écoeurants.

LES ÉCOEURANTS

« J'ai dix-sept ans et dix mois. (...), j'ai cinq pieds et onze, comme mon père... » Ce sont les premières lignes du roman. Après, on ne peut arrêter sa lecture... On vous suggère cependant de lire tout d'abord le généreux commentaire que Jacques Hébert écrit sur son roman à la section *Dossier*, à la fin de ce livre. Il décrit avec une touchante franchise les circonstances qui l'ont amené à écrire ce petit livre à la fois nostalgique et virulent. Jacques Hébert dévoile les secrets d'une bonne famille bourgeoise de Québec et il dit la difficulté de vivre lorsqu'on est jeune et qu'on s'indigne contre une société qui n'est pas juste. L'auteur connaît la société bourgeoise, il connaît les jeunes. Son expérience journalistique l'a préparé à écrire ce court roman dans un style direct, cru, énergique, cinglant, vrai. On n'oublie pas *Les écoeurants*.

Les écoeurants

La collection Québec 10/10 *est publiée sous la direction de* Roch Carrier.

Éditeur: Éditions internationales Alain Stanké ltée
2127, rue Guy
Montréal (Québec)
CANADA H3H 2L9

Illustration de la page couverture: Olivier Lasser

Illustrations intérieures: Pierre Lussier

© Jacques Hébert, 1966

Données de catalogage avant publication (Canada)

Hébert, Jacques, 1923-

Les écoeurants

(Québec 10/10; 92)
Éd. originale: Montréal, Éditions du Jour, 1966.

2-7604-0293-2

I. Titre. II. Collection.

PS8515.E23E26 1987   C843'.54   C86-096382-9
PS9515.E23E26 1987
PQ3919.H42E26 1987

ISBN 2-7604-0293-2

Dépôt légal: troisième trimestre 1987

IMPRIMÉ AU CANADA

Jacques Hébert
Les écoeurants

Stanké roman

Chapitre I

J'ai dix-sept ans et dix mois. Depuis un an déjà, je dis à tout le monde que j'ai dix-huit ans, on gueule pas, j'ai cinq pieds et onze, comme mon père, c'est ce qu'il m'a donné de mieux, mon père.

Je m'appelle François Sigouin. « Pas de *la* famille Sigouin, les juges et tout ? » Chaque fois, on me la pose, la maudite question ! Je voudrais crier, chaque fois : « Non, pas ces Sigouin-là ! Les autres, ceux de Limoilou, qui ont pas de juges dans la famille, seulement des plombiers, des épiciers, des gens honnêtes ! »

On me croirait pas. J'ai le nez de mon père, l'Honorable juge Hormidas de L. Sigouin, de la Cour supérieure de Québec. Le *L,* c'est pour Lanaudière, l'arrière grand-père, ancien juge en chef et tout. Sans le dire carrément, on laisse entendre qu'il était « de la noblesse », à cause du *de*. C'est pas vrai, tout le monde le sait, les nobles y en est pas resté après la conquête, tous retournés en France, les peaux de vache ! Mais il aurait fait des bassesses, mon père, pour être un vicomte ou un machin. Il en a fait, il est chevalier de l'Ordre de Saint-Grégoire-le-Grand.

Pendant toute mon enfance, j'ai entendu dire que nous étions, nous les Sigouin, d'une race supérieure. D'abord catholiques ; nous pouvions cracher sur tous les maudits protestants, les puants de juifs et les pauvres minables païens du monde. Notre origine française nous donnait une raison de plus de mépriser le reste de l'humanité, mais ce qui nous rassurait tous quant à la qualité de notre clan, c'est que les Sigouin étaient d'authentiques Québecois, nés dans la ville de Québec, la Haute-ville... A les entendre, les Montréalais étaient tous plus ou moins des bâtards. Pour être quelqu'un, fallait être né à Québec.

J'ai cru ça. Je me débattais un peu, j'avais des doutes, un enfant ça comprend comme ça peut. Mais c'est si facile de se prendre pour un autre, à douze ans de croire qu'on est mieux que le voisin parce qu'on est Sigouin. J'aurais pu croire ça jusqu'à vingt, trente ans, jamais en sortir et vivre Sigouin, écœurant comme les autres, mourir Sigouin...

Ma mère, elle les a jamais gobé les Sigouin, ça m'a aidé. Elle gueulait pas fort, elle s'est faite écraser par le clan, comme une chenille, au lendemain de ses noces, mais, loin dans mes tripes, j'ai toujours senti qu'elle était pas une Sigouin, elle non plus. On se parlait pas — les Canadiens français, ça se parle pas — mais on se comprenait, d'une certaine façon.

Elle était pas heureuse, j'étais pas heureux, ça nous rapprochait. Elle comprenait pas tout dans tout, mais les choses importantes, elle les devinait. Par exemple, j'ai failli être fils unique. Un an après son mariage, Sa Seigneurie mon père faisait chambre à part, voulait plus toucher à ça, le beau mépris des Sigouin pour le sexe. Je sais pas les idées de ma mère là-dessus et c'est pas de mes maudites affaires. Mais elle voulait pas que je sois fils unique, question de principe. « Ça gâte un enfant », qu'elle disait. Chère maman ! Alors, elle s'est arrangée pour me faire une sœur, un soir d'élections où mon père était tellement heureux ; son parti avait pris le pouvoir, il avait travaillé comme un cochon dans le comté, il avait pratiquement sa nomination de juge dans sa poche.

Modeste, ma mère, effacée comme un jeu de marelle sur le pavé, après dix automnes pluvieux à mort. Parlait pas, attendait et puis, bang ! Quand il y avait quelque chose d'important à faire, de vraiment important, dix mille millions de Sigouin enragés auraient pas pu l'arrêter. Vous voyez le genre.

Le coup de la petite sœur Suzanne, elle a fait ça pour moi, pour que je sois pas un maudit gâté de fils unique. Mais il y a Suzanne là-dedans. Une fille, ça lui prend un père, absolument, et l'honorable Sigouin c'était pas un père pour une fille. Pour un gars non plus, c'est sûr. Mais un gars ça se démerde toujours, même sans caresses. Enfin, je pense... J'en ai pas eu de mon père, je me démerde. Mais les filles, ça les tue. Je la vois encore, Suzanne, se faisant assassiner sous mes yeux, maudit ! Mon père, il la regardait jamais, la Suzanne si mignonne. Et quand ma mère la déposait dans ses bras, pour un peu lui brasser le cœur, il la tenait à distance comme si elle était toujours pleine de caca. A quinze ans, belle fille, trop belle fille, la Brigitte Bardot pouvait aller se rhabiller, je m'y connais, eh bien, Sa Seigneurie faisait toujours comme si elle était pleine de caca. C'est pas du monde les Sigouin, ça paraît bien au dehors, c'est merdeux en dedans, c'est bon pour le Barreau, la politique, la magistrature, rien de plus. Mais ça devrait jamais faire d'enfants. Faudrait une loi. Aïe ! elle est bonne, celle-là ! Je parle, je parle, je déparle : les lois, ce sont les Sigouin qui les font dans cette province depuis cent ans, et qui ensuite se mettent carrément le cul dessus. « Les lois, c'est pour les autres », disait (en riant !) mon père. Pour les dégueulasses de pauvres.

Chère Suzanne ! C'est pas moi qui t'en voudrai jamais de t'être sauvée en Europe avec ce grand flanc-mou de Suédois qui te pelotait, dans la bibliothèque de Sa Seigneurie. Ah ! Je lui aurais écrasé tous ses maudits doigts blancs, avec un marteau, cent mille marteaux. Je t'en voudrai jamais. Il a dû bientôt t'abandonner dans son Stockholm de mon cul. Tu reviendras pas, tu es désigouinisée, tant mieux, vis comme tu peux, n'importe où, en enfer, ça vaut mieux que dans ce pays de refoulés où il y a des Sigouin partout, au coin des rues pour nous guetter, dans les maisons pour nous empoisonner, dans les églises pour nous écœurer à mort, et jusque dans les bordels pour être eux-mêmes, enfin, peut-être.

Ma Suzanne si pure, toi que les matantes et les mononcles traitent de fille de rue, toi qui les vaux tous, des millions de fois, reviens pas. J'irai te retrouver un jour dans le pays libre que tu auras choisi. On s'aimera, on changera de nom, on changera de peau, avec de la chance on apprendra peut-être à rire tous les deux.

Rire ! Rire ! Rire ! Comme ça nous a manqué dans nos petites chiennes de vies ! J'ai dû rire quand j'étais innocent, mais dès l'âge de sept ou huit ans, j'ai cessé. Ailleurs, c'était parfois possible, mais dans la boîte aux Sigouin, ça m'arrivait seulement quand l'oncle Elzéar passait par là, en coup de vent, en coup de soleil, sacré Elzéar, Sigouin malgré lui, une sorte de bâtard, quoi, comme moi.

Il venait pas souvent, Elzéar. Je le comprends. S'il avait su, peut-être, comme j'avais besoin de lui... Un enfant Sigouin, ça parle pas de ces choses-là. Ça rêve, ça rumine, c'est malheureux tout seul, ça se prépare des psychoses au milieu des maudits trains électriques et des mécanos à vingt-cinq piasses.

Faut dire que mon père faisait pas accueillant. Il était jamais là, mais quand il venait à la maison, fallait-pas-le-déranger, s'enfermait dans la bibliothèque, préparait ses délibérés, ses jugements et ses trucs, mais devait lire aussi les romans cochons que je trouvais écrasés derrière les Statuts Refondus de 1941.

Il se dérangeait pas pour Elzéar. Il était pas avocat, Elzéar, le seul de la famille qui serait jamais C.R., ni Bâtonnier, ni rien. Agronome qu'il était, un habitant. A refouler dans la cuisine, avec ma mère, la bonne et les enfants.

Les deux oncles avocats, Rolland et Jean-Luc, venaient rarement : première communion, jour de l'an, scandale dans la famille, élections, provinciale ou fédérale, des gens occupés à faire de l'argent. Mon père avait de la considération pour eux, d'une certaine manière, comme il en avait pour n'importe quel avocat, le meilleur ou le plus écœurant. C'est pas les liens du sang qui les unissaient ces trois-là et je pense même qu'au fond ils devaient se haïr. Les deux oncles étaient des ennemis politiques et, en période électorale, ils se faisaient des vacheries comme il est pas permis. Toute la haine des bleus et des rouges, ils la portaient à l'année dans leur cœur, comme un étron puant, mais en dehors des élections, il s'aidaient, des frères. Quand les bleus étaient au pouvoir, Rolland devenait procureur de la Couronne, et le rouge, de nouveau « à son compte », faisait plus d'argent que jamais. Quand les rouges battaient les bleus, c'est Jean-Luc qui faisait le « motton », comme il disait dans son langage dégueulasse. Et d'une élection à l'autre, cahin caha, de mille piasses en mille piasses, ils vieillissaient en attendant la récompense, c'est-à-dire la magistrature où mon père, plus jeune mais plus rusé, les avait précédés depuis belle lurette.

On comprend que le farfelu d'Elzéar, agronome et honnête homme par surcroît, pouvait pas s'approcher de ce monstre à trois têtes sans risquer de se faire manger tout rond.

Mon père avait aussi deux sœurs : la Sylvie, que j'ai pas connue, et la Rose-Marie, bête comme ses grands pieds plats, folle je devrais dire, on la tolérait dans la maison à cause de son mari, un crétin devenu millionnaire en cinq ans. En cinq ans, il avait quasiment recouvert la province d'asphalte, pour les bleus, pour les rouges, de l'asphalte en ville, de l'asphalte à la campagne, dans les rangs perdus, devant les presbytères, partout.

Faisait pas de politique, qu'il disait. Mais crachait par vingt mille piasses à chaque élection, dix mille d'un bord, dix mille de l'autre, paraît même qu'une fois le P.S.D. avait accroché cinq cents piasses. « Une erreur de mon crisse de comptable », l'oncle Emile avait une peur maudite du communisme. Emile Prunier, qu'il s'appelait, le vieux riche, fils d'un pauvre bûcheron de l'Abitibi qui pourrit dans un hospice des sœurs de la Providence. « Ils sont bien là-dedans, qu'il disait, l'Emile. La messe tous les matins. Bonne nourriture. Je l'ai abonné à l'*Action catholique*. » Un écœurant comme il s'en fait plus. Quand il a rencontré une Sigouin, — et la Rose-Marie c'est Sigouin d'un travers à l'autre — il a pas pu résister. Ça s'est collé ensemble comme deux chardons. Inséparable. Ça se trompe à l'année, ça se déteste, ça s'injurie, ça se bat mais c'est inséparable. Ça mourra ensemble, le même jour, riches, sales et vieux, au Fontainebleau, à Miami-les-fesses.

Donc, la tante Rose-Marie, mon père la tolérait assez bien dans la maison à cause du million dégueulasse d'Emile. Un juge, on a beau dire, ça peut pas devenir aussi riche qu'un entrepreneur en asphalte. Ça lui donnait un drôle de complexe à mon père. Il était jamais allé au Fontainebleau. « C'est vulgaire, au fond, disait-il parfois à ma mère. Quand j'entre à la Cour, mon tricorne sur la tête, je suis un million de fois plus puissant qu'Emile avec son million. Ça, ma femme, tu peux pas comprendre, mais ça réchauffe le cœur d'un homme bien plus que le soleil de Miami. »

Rose-Marie m'énerve à un point tel que je m'enferme dans ma chambre dès que j'entends ses bonjours éraillés dans le hall. Je la sens à des milles. *Arpèges* de *Lanvin* à quinze piasses la fiole.

Quand par malheur elle me mettait le grappin dessus, c'était pour me beurrer les joues de son rouge à lèvres écœurant, quasiment violet, je courais me laver au *Cuticura*.

« Reviens vite, mon petit François, qu'elle criait. J'ai un petit rien du tout pour toi, mon mignon. » Et je revenais... Pour recueillir la piasse sale pliée en quatre qu'elle me donnait devant ma mère, pour lui rappeler que son abruti d'Emile en avait au moins un million de pareilles. Elle m'achetait, la vache.

Paiement reçu, il me fallait subir ses platitudes. Elle avait la manie de s'extasier devant ma « beauté ». J'en grimaçais d'écœurement. « Comme il est beau cet enfant. Un vrai péché que ce ne soit pas une fille. »

J'ai entendu cette niaiserie au moins cent mille fois. Ça sortait tout collant de la gueule molle de ma tante Rose-Marie. Une folle que je vous dis. Tellement folle que ça me faisait penser, des fois, qu'il y avait une justice. Un écœurant de millionnaire comme l'oncle Emile méritait de passer sa vie avec une sacrée folle. Il l'a eue sans peine la Rose-Marie. Ça ressemble à de la justice si vous voyez ce que je veux dire.

Un péché que je sois pas une fille... J'aurais voulu la tuer la Rose-Marie. J'ai assez de mal à être un gars, si j'avais été une fille j'aurais pas pu le supporter. Ça, jamais! J'aime assez les filles, mais quand je pense à tous leurs problèmes dégueulasses, j'aime mieux les miens.

Une fille, par exemple, qui est pas belle... Un nez de travers, des lèvres trop minces, une poitrine plate, n'importe quelle bêtise et c'est le drame. Une fille laide, c'est de la pure injustice. On en sort pas. Un gars laid, passe encore. Il essaiera d'être intelligent, il fera de l'asphalte, de la politique, de l'argent, on finira par dire qu'il a l'air « distingué » avec sa face de crapaud. C'est la vérité. Mais une fille laide...

Quand j'en vois une ça me donne un coup au milieu du ventre, je voudrais pleurer, maudit ! Et c'est toujours celle-là qui vous écoute...

Tout ça me déprime à mort. Quand un jour je me marierai, me faudra-t-il une belle fille pour coucher et une autre, laide, pour m'écouter ?

Tout ça est mauditement injuste.

Bien sûr, il y a eu Mireille...

Chapitre II

J'avais onze ans. Un jour, Sa Seigneurie mon père décida de me passer à mon grand-père qui moisissait doucement dans la grande maison de La Malbaie. A la mort de ma grand-mère (elle était bien, celle-là ; quand ils sont bien, ils meurent avant les autres), il avait pris sa retraite et s'était réfugié à La Malbaie « pour cacher sa douleur ».

J'ai cru ça, cette merde-là, comme tout le reste, avant d'apprendre que c'était un sacré cochon mon grand-père Sigouin, des maîtresses en veux-tu en v'là, il avait même violé la nièce d'un dominicain en plein sur les plaines d'Abraham. Ce dernier scandale avait fait le tour de Québec en quarante-huit heures, Dieu sait que les Québecois adorent les histoires de cul qui mettent en cause un juge ou un ministre. Il était juge, le grand-père, comme tout le monde dans ma maudite famille et c'est même à cause de ça qu'il s'en était tiré sans procès.

Peu de temps après « l'affaire Sigouin », ma belle grand-mère (elle portait toujours un collier de petites perles, comme des larmes enfilées), elle est morte de chagrin. Fallait bien.

Alors, le grand-père, c'est pas sa douleur qu'il voulait cacher à La Malbaie, mais sa honte. Dans les rues de Québec, on le montrait du doigt. Pour continuer à jouer au grand seigneur, à « l'honorable » juge, il lui fallait un village endormi comme La Malbaie, où les gens sont honnêtes, où on peut pas croire qu'un Sigouin, de *la* famille des Sigouin, soit un écœurant.

Il s'ennuyait dans sa grande maison vide qui sentait le vieillard et le géranium fané. Il écoutait la radio ou s'écrasait devant son poste de télévision, se tapait toutes les maudites émissions, tous les romans-savon, les bulletins sportifs, les recettes de cuisine, tout.

Il lisait rien, c'est-à-dire *Le Soleil*, et, « pour ne pas être coupé du monde », la revue *Newsweek* à laquelle mon père l'avait abonné, on se demande bien pourquoi.

Les seuls livres qu'on trouvait dans cette maison de fou c'était des maudits livres de droit, reliés et quasiment neufs car mon savant grand-père avait « toute la jurisprudence dans sa tête ». Il se vantait d'avoir jamais ouvert un livre avant de prononcer un jugement. Ça épatait mon père. Mais dans nos prisons, il doit se trouver quelques pauvres types qui ménagent leur admiration pour la science infuse du grand-père.

Quand la télévision l'avait poussé à un degré extrême d'abrutissement, mon grand-père faisait des jeux de patience, pendant des heures. L'été, il s'occupait de ses rosiers. Ça l'emmerdait, je le sais. Il avait l'impression de s'avilir en prenant un outil dans ses mains. Mais un sécateur, paraît-il, c'est un outil noble. J'entends encore les clic clic du maudit sécateur. A la fin de l'été, il en restait plus des rosiers. Rasés jusqu'au trognon.

Le samedi soir s'amenait le curé, avec sa soutane blanche de pellicules et sa tabatière. Il prisait, le dégoûtant, il se bourrait le nez de tabac comme on bourre un poêle de charbon, il éternuait, se mouchait, recommençait. Arrivait à sept heures, repartait à neuf heures : « Mon bréviaire... » Disait pas grand-chose le curé Théberge. Le grand-père s'en servait comme d'un auditoire, nostalgie du public de clochards et d'abrutis qui allait au Palais de Justice écouter ses « recommandations au jury ». Il était content comme ça le curé. Il venait

« pour s'instruire », parce que ça le flattait d'aller veiller « chez le juge », parce qu'il aimait assez bien le cognac.

Mon grand-père pérorait. Sa hache, c'était la politique internationale. Il lisait *Newsweek* d'une couverture à l'autre. Ah ! ce que les Russes se faisaient massacrer, le soir, devant le curé ! Et les Chinois ! Hachés menu pour en faire du pâté. A la bombe atomique qu'il les hachait. « Une à Pékin, une à Shanghaï, une couple en Mandchourie et c'en est fini du péril jaune et du communisme et de toute cette engeance. »

Le curé avait l'air d'accord, il était pourtant pas méchant. Je le vois mal hachant les Chinois, même ceux qui ont, paraît-il, martyrisé quelques prêtres à Canton.

Toujours est-il qu'il s'ennuyait mon grand-père dans son tombeau en forme de maison. Il avait besoin d'une « présence » qu'il disait platement. Et la « présence », ce devait être moi. Ma mère était pas d'accord. Je me souviens, elle avait gueulé : « Un enfant, ça ne se prête pas, c'est pas une tondeuse à gazon, un poisson rouge... » Mais, naturellement, Sa Seigneurie mon père prononça un jugement sans appel : « François ira chez son grand-père. Disons pour six mois, le temps que papa se remette de son deuil... » Je devais passer trois ans à La Malbaie !

Sa Seigneurie le savait bien que mon grand-père avait fait souffrir ma grand-mère sa vie durant. Tout le monde le savait, il devait bien le savoir. Mais ça faisait partie des choses-qui-étaient-sensées-n'avoir-jamais-existé : une spécialité de la famille. Toute réalité susceptible de jeter quelque discrédit sur les Sigouin, on la supprimait d'un commun accord. On en parlait jamais. Même on la niait à la moindre allusion. Par exemple, toute la maudite famille savait que la sœur de mon père, ma tante Sylvie, était folle — vraiment folle, celle-là, — qu'elle avait failli tuer mon oncle Conrad avec un couteau à pain, qu'elle était enfermée dans quelque donjon de Saint-Michel-Archange, une prison dégueulasse qui se fait passer pour un hôpital, ça rassure les bourgeois. C'était connu dans la famille et au moins dans toute la maudite ville de Québec. Seulement, quand on a du sang sigouin dans les veines, on peut pas être fou. Alors, on l'a tuée, la Sylvie. Enfin presque... Après l'affaire du couteau, mon oncle est parti pour la Floride, avec ma tante qu'il avait dit. Au bout d'une semaine, il télégraphia à tous les gros de la famille pour leur annoncer que la Sylvie s'était noyée au cours d'une partie de pêche au thon. Tout le monde comprit. Il a reçu des lettres de condoléances pendant un mois, l'oncle Conrad, des grand-messes au camion et un bouquet spirituel des sœurs de Saint-Michel-Archange.

Morte la tante Sylvie. Bouffée par les requins. Eliminée du clan. *Next !* Et j'ai cru ça aussi, moi, l'adolescent candide. J'ai raconté l'accident à mes amis avec tous les détails fournis par le dégueulasse de Conrad, seul témoin visuel.

Faudrait quand même que je parle de Mireille...

J'arrive d'abord à La Malbaie par une écœurante journée du mois d'août. Il était à la gare, en complet noir, « l'honorable », avec sa canne et tout. Les voyous du village, qui se donnent rendez-vous sur le quai à l'heure du train de Québec, gueulaient moins fort, rapport au juge qui les impressionnait, les caves.

Le conducteur, à qui mon père m'avait « confié », m'a quasiment pris dans ses bras pour me remettre au grand-père. Tout le monde regardait, je sentais que les voyous, les jeunes voyous de mon âge, m'avaient classé : « Qu'est-ce que cette tapette qui nous arrive de la ville ! » Au lieu de me serrer la main comme à un homme de onze ans, il m'a *embrassé,* le grand-père, en marmonnant des sottises comme il est pas convenable d'en dire à un enfant de deux ans : « T'as pas eu peur de la grosse locomotive, mon pitou ? Tu t'es pas assis sur le siège des cabinets, j'espère ? » J'étais écœuré à vomir, j'aurais voulu leur crier, aux voyous de la gare : « Je suis pas une tapette ! Je suis capable de nager une minute sous l'eau ! J'ai déjà embrassé des filles ! Je suis un gars comme vous autres ! »

Ma réputation était foutue et, pour les voyous de La Malbaie, j'étais un insignifiant petit fils à papa, sûrement snob, sûrement pieux, à éviter.

Humilié jusqu'au tréfond de ma carcasse, je montai dans la Chrysler noire du grand-père, une vieille bagnole prétentieuse qu'on appelait « le corbillard » dans le village.

Chemin faisant, mon grand-père, il a pas dit un mot. Ses effusions, il les avait toutes déversées sur le quai de la gare, en public. J'avais pas envie de parler, moi non plus, et je pensais à tous les microbes qui devaient me garnir les fesses puisque je m'étais assis sur le maudit siège du cabinet.

A la maison, nous attendait Séverine...

Chapitre III

Elle était pas méchante Séverine. Je me disais, des fois, qu'elle avait dû avoir onze ans, elle aussi, et qu'elle avait pas toujours ressemblé à un épouvantail à corneilles.

On avait dû la tuer la petite Séverine de onze ans, c'est certain : il en restait plus un atome dans la vieille dégueulasse que j'ai connue, vieille sorcière de soixante-cinq ans, vieille guenon, vieille vache, vieille folle. Punaise de sacristie, grenouille bouillie à mort dans l'eau bénite, encore Enfant de Marie à soixante-cinq ans, a-t-on jamais vu, ça se disait pure et vierge et toût et ça prenait pas deux bains par année.

Le dernier vicaire de la paroisse, il est parti pour nos missions des Philippines tellement il était écœuré des scrupules de la Séverine, écœuré de la confesser tous les matins, beau temps mauvais temps, pendant des demi-heures empestées d'ail, écœuré à mort, le vicaire.

Avec la bénédiction du grand-père, Séverine avait décidé de sauver mon âme, veux,

veux pas. Parce que je savais pas le *De Profondis* par cœur, en latin, à onze ans, elle avait conclu que ma mère était une « brebis infidèle » et qu'il fallait refaire mon éducation religieuse à partir de zéro. Elle était catholique, ma mère, je le sais, dans le bon genre, je dirais. Elle passait pas son temps à m'abrutir avec le *De Profondis,* ni avec toutes les choses qu'il fallait pas faire avec son pénis. Mais quand j'étais méchant avec ma sœur Suzanne, elle s'assoyait près de moi et me disait toutes sortes de mots doux, je comprenais à moitié seulement qu'il fallait aimer les autres, penser aux autres d'abord, souffrir pour les autres, des tas de trucs qui me donnaient envie d'être bon et de mourir tout de suite si ça pouvait arranger les autres.

Séverine, c'était pas sa manière, elle m'apprendrait la « vraie religion », les « vraies prières », les « vrais péchés », tout ce qu'il faut pour sauver mon âme. Ah ! la vache, ce qu'elle a pu m'empoisonner en trois ans, m'écœurer du bon-dieu-ayez-pitié-de-nous, m'écrabouiller la conscience en s'amassant des mérites-pour-l'autre-côté ! La messe de six heures et demie, des actions de grâce à plus finir, les trois angélus, le rosaire à quatre heures, les neuvaines après souper, les litanies, y a pas un trappiste qui a prié autant que moi dans sa vie.

Après avoir accumulé des montagnes d'indulgences pendant l'interminable hiver, je voyais venir le mois de mai comme une délivrance. C'était le mois de Marie, fallait sortir, les petites filles étaient bien jolies.

J'allais aux exercices avec Séverine. Le grand-père, il pouvait pas : la fumée de l'encens lui donnait des crises d'asthme.

Si seulement j'avais pu y aller seul ! Mais non, fallait la Séverine avec son maudit grand chapeau noir, ses dégueulasses de bottines du temps de la reine Victoria. On faisait de l'effet en entrant à l'église : le petit-fils-du-juge, habillé en gars de la ville, ça voulait dire en riche, maudit, et la Séverine, la risée du village à cause du chapeau noir et des bottines.

Fallait se taper le rosaire, une dizaine à genoux, une dizaine assis, avec les mystères, les cantiques et tout : de quoi se mettre à haïr la Sainte Vierge. J'étais pas méchant, je l'aimais quand même, à ma façon. C'était comme une espèce de nuage bleu, avec une figure de femme. Pas très sexy, mais enfin. Moins raide que Dieu le père. On s'entendait bien sauf que je finissais par le trouver long son mois de mai avec la Séverine qui entrait « en extase » après la première dizaine. Fallait voir ça : elle tremblotait, elle s'excitait, j'étais gêné, gêné... Aujourd'hui, ça se traite au *Librium*.

Et moi, je me sentais coupable à mort à cause des distractions : Mireille s'assoyait assez loin de nous, à gauche de l'église, près de la statue de saint Antoine.

Ah ! celui-là, ce qu'il pouvait m'agacer avec son visage de fille, sa poupée en forme d'enfant Jésus et son sacré pain qui avait pas l'air mangeable. Ça devait être une sorte de jalousie d'enfant : il était bien près de ma petite Mireille.

A La Malbaie, les gens pieux ont des habitudes. On les retrouve toujours à la même place à l'église, même si elle est à moitié vide comme pendant les exercices du mois de Marie. Un gars qui se serait assis devant le gros calorifère doré, près de l'horloge, c'est-à-dire à la place des demoiselles Paradis, les trois filles lui auraient arraché les yeux, saintemariemèrededieu !

Séverine et moi, on était toujours dans les parages des Martyrs canadiens qui se font brûler vifs, le banc en face du tronc où Séverine pouvait glisser ses maudites cennes noires sans même se lever.

Mais pour les lampions, fallait qu'elle se lève. Elle aurait pu attendre à la fin, quand on se tape des piétés pareilles pendant trois quarts d'heure, on peut attendre à la fin pour allumer des lampions. Pas Séverine. En plein cantique qu'elle se levait. Chaque fois. J'aurais voulu la tuer. Les jeunes rigolaient doucement, même Mireille, des fois. La Séverine, elle partait d'un coup, en courant presque, comme poussée par trois ou quatre archanges dans les costauds. Ça lui prenait une montagne d'allumettes avant de réussir à allumer le lampion le plus haut perché, « le plus près du tabernacle » qu'elle disait, la niaise, comme si l'Enfant-Jésus de Prague ne s'en foutait pas éperdument de son maudit lampion. De quoi traumatiser un enfant pour la vie.

A l'aller et au retour, elle cessait pas de chanter « c'est le mois le plus beau », distrayant tout le monde, échappant son chapelet, toussant, crachant dans son mouchoir, rabattant son voile noir (elle pleurait son père depuis sept ans et demi) sur sa vieille face moche de vieille fille frustrée. « Il y a une place spéciale dans le ciel pour les vierges », disait-elle souvent. Tu parles ! je l'espérais de tout mon cœur : un maudit coin sombre, loin des gens qu'elles ont emmerdés toute leur vie.

Après la scène du lampion, j'essayais de me détendre un peu, je louchais du côté de saint Antoine avec son maudit pain...

Et puis un jour, Mireille et moi, on s'est regardé dans les yeux. Pas longtemps, mais assez. Elle devint toute rouge, moi je me mis à trembler de tous mes membres. Pas capable de m'arrêter. Séverine s'inquiéta un petit moment avant d'avoir un sourire entendu : elle venait de comprendre que la grâce m'avait frappé et que moi aussi je connaissais l'extase.

Extase is right !

A partir de cet instant, tout changea dans ma petite vie d'imbécile. Mireille m'aimait et moi j'en étais fou. Cela me paraissait une évidence. Comment ne pas aimer cet adorable visage tout rouge encadré d'épais cheveux blonds, coupés droits. Elle me rappelait un page du marquis de Carabas, un beau page en couleur qui m'avait toujours un peu troublé.

Et Mireille, Mireille, hein ? Pourquoi ne m'aimerait-elle pas ? On a assez dit dans la

famille que j'étais beau, on m'a assez écœuré avec ça. Si c'était seulement à moitié
vrai ? Si Mireille se trouvait d'accord avec
la sacrée folle de tante Rose-Marie ?

Y a ma maudite réputation dans le village... Je passe pour un snob, un péteux qui
veut pas frayer avec les enfants de La Malbaie. Si elle pouvait seulement savoir que
c'est pas de ma faute, que mon grand-père
est responsable de tout, qu'il veut me cou-
ver pour que je reste pur Sigouin, jusqu'au
collège des jésuites, jusqu'à la faculté de
droit, pour que je finisse juge, moi aussi,
comme tous les Sigouin depuis la maudite
Confédération.

« Un Sigouin, qu'il me répétait, ça se
mêle pas aux gens communs. » J'avais droit
à *un* compagnon de jeux, mais sans pouvoir
aller chez ses parents ; c'est lui qui venait
distraire le petit-fils-du-juge. Il s'appelait
Vincent, fils du Maître de poste, fier crétin
aux yeux de hareng, enflé comme un noyé,
sentait toujours un peu le sûr. Il devait
se masturber dix fois par jour, le petit dégueulasse.

Ce qui le sauvait aux yeux du grand-père,
c'est « qu'ils avaient un ministre dans la famille, du côté maternel ». La jolie référen-

ce ! Déjà, dans ce temps-là, je savais que les ministres étaient tous des voleurs sauf, paraît-il, le ministre des forêts et des machins, qui était trop bête. C'est l'oncle Elzéar qui avait dit cela un jour à table, et l'oncle Elzéar, c'était mon Bon Dieu à moi, le seul Sigouin de la terre qui me faisait pas vomir.

Donc, pour les « communs » du village, — et à part le cave de Vincent y avait que ça, des communs, à La Malbaie, — j'étais un snob, un « petit frais », qu'ils disaient, sans savoir. Mireille, selon les standards sigouin, c'était une commune authentique, avec un père ouvrier qui buvait de la bière. Un Sigouin, ça peut montrer une certaine pitié pour un ouvrier. « Il en faut des ouvriers », disait mon père comme pour les excuser. Mais un ouvrier qui osait boire de la bière au lieu de placer son argent à la Banque Canadienne Nationale, c'était un être méprisable, il faudrait des lois pour ça, où est-ce qu'on s'en va, de la graine de communiste et ça réclame de l'assurance chômage !

Dans notre clan, la bière, ça classait un homme. Boire du scotch jusqu'au delirium tremens, c'était bien, élégant, racé, sigouin.

Mais la bière ! Un jus de pauvre, une pisse déshonorante. Y avait bien l'oncle Emile dont on disait qu'il buvait sa caisse de grosses tous les dimanches. Il était pas sigouin, il était millionnaire, c'est tout de même des excuses.

Oui, Mireille devait bien penser que j'étais snob, sigouin et tout. Mais peut-être se sentait-elle flattée quand même, on est bien un peu femme à onze ans, d'attirer l'attention du petit-fils-du-juge. Je m'en voulais de compter là-dessus, j'avais pas le choix, fallait que je m'accroche à quelque chose.

Pendant deux ans — c'est à peine croyable, du sigouin à cent pour cent ! — j'ai pas adressé la parole à Mireille. De messe en messe, de chemin de la croix en chemin de la croix, notre *affaire* progressait doucement. On se voyait de loin, on rougissait et on rêvait ensuite pendant des heures. Fallait-il être bête, des baisers perdus pour toujours, des joies gaspillées à mort.

Enfin, au bout de deux maudits siècles de douze mois, — c'était encore en mai — Séverine tomba malade. Rien de grave, une affaire de vieille fille, dans le bout du sexe, je pense, car elle faisait des scènes épouvantables quand le docteur Poitier venait l'examiner.

J'allais au mois de Marie tout seul. Aïe ! A treize ans. J'en étais fou de plaisir, priais pour que ça dure la maladie de Séverine, pas qu'elle en crève, mais que ça dure jusqu'au premier juin.

D'un jour à l'autre, pour que ça se remarque pas trop, je me rapprochais de saint Antoine. Et puis enfin, je me suis trouvé, tremblant et affolé, juste derrière Mireille. J'aurais eu qu'à tendre la main pour caresser son cou, blanc et long, à rendre malade.

Cette fois-là, on est sorti de l'église presque ensemble, on s'est laissé bousculer sous le porche, on s'est souri franchement et je lui ai dit « Bonjour ! » avant de détaler comme un maudit lièvre.

J'étais quand même à peu près sûr qu'elle m'avait dit bonjour aussi, et que nous allions nous marier un jour.

C'est bête un enfant de treize ans. Un enfant Sigouin c'est plus bête que tout, faudrait une loi.

Mon très honorable grand-père, jadis de la Cour supérieure, qui pérorait cent fois par jour sur la charité chrétienne, m'avait jamais défendu carrément de jouer avec les enfants du village. Il en avait seulement contre les *communs*. Il me défendait rien, mais il empêchait tout avec des trucs dégueulasses, il en inventait des neufs tous les jours, ça bouillonnait à l'année dans sa petite tête chauve.

J'avais fait quelques tentatives, je m'étais même rendu à la patinoire municipale, à deux rues de la grande maison. Du balcon, le vieux, il pouvait me voir, pitoyable et désespéré, essayant courageusement de lier conversation avec des gamins de mon âge. J'avais pas l'habitude, ça me donnait des crampes dans le ventre, comment leur prouver que je les méprisais pas, que je mourais d'envie de partager leurs jeux, de fumer en cachette dans leur repaire de la rue de la Gare où, je le savais par Vincent, Mireille allait fureter parfois...

Du balcon, il aurait pu deviner mon angoisse le vieux grand-père, s'il avait pas eu un glaçon à la place du cœur. Quand je m'étais fait geler pendant une heure à regarder jouer les grands, il secouait une maudite cloche de cuivre, une cloche de sœur, on devait l'entendre de l'autre côté du fleuve. Ça voulait dire que le petit Sigouin devait rentrer, tous les voyous le savaient, ils

rigolaient, les durs me criaient : « Va mené-
mené avec ton grand-poupa ! »

Tête basse, humilié, furieux, je marchais
lentement vers la maison, m'arrêtant ici et
là pour faire croire que j'étais pas pressé,
que la cloche c'était peut-être pour quelqu'un d'autre.

Le grand-père, il m'attendait dans l'escalier avec ses platitudes : « Tu vas attraper
une pneumonie, mon pitou. C'est fou. Il fait
quasiment zéro. Si ta mère savait que je te
laisse dehors par des froids pareils ! »

Il faisait tellement plus froid dans la
maison.

Je disais pas un mot, j'allais me réfugier
dans le grenier, et là je mettais mon costume
de mousquetaire. A grands coups d'épée
dans le vent, je tuais un tas de gens pour
épater les voyous de La Malbaie, je sauvais
la vie de Mireille et je pourfendais un vieux
divan qui, je le sais aujourd'hui, ressemblait
à mon grand-père.

Ses motifs profonds, je les ai jamais compris tout à fait. D'accord, il méprisait le peuple, les « communs », mais il y avait plus
que ça. Il craignait pour ma vertu. Les gamins de la patinoire jouaient un peu aux
fesses, c'était connu, on les avait pris sur le

fait dans le charnier, au milieu du cimetière. J'avais aucune envie de jouer aux fesses mais j'aurais fait n'importe quoi pour qu'on m'accepte dans la *gang* de la patinoire. Pas fou, quand même, le grand-père, il devait s'en douter, y a pas plus prude qu'un ancien vieux cochon.

Le soir, il m'aspergeait d'eau bénite : « Pour que tu restes pur. » Je voulais bien, moi. J'étais pas pervers ni rien. Je voulais seulement parler à du monde, des fois, moins bête que le Vincent, si ça se trouvait. Et, un jour, me balancer dans la grande balançoire de la rue de la Gare, avec Mireille.

Après l'eau bénite, je faisais quelques invocations bien sincères, je suppliais tous les saints du ciel de protéger ma pureté, puis je me préparais un rêve, toujours le même, où je voyais Mireille s'en allant au mois de Marie, son petit chapelet blanc à la main, jolie, rougissante et toute nue.

Chapitre IV

Toujours est-il qu'on s'est vu quand
même à La Malbaie, comme des voleurs de
pommes, derrière le bureau de poste en bri-
ques rouges, trois fois. On s'est rien dit. Un
grand imbécile et une petite oie qui se re-
gardaient dans les yeux, en rougissant comme des maudites pommes d'amour. J'ai au
moins caressé son cou si blanc et si long.
De quoi tomber mort de plaisir. Et puis, à
la fin d'août, quelques jours avant mon départ de La Malbaie, on est allé se balancer
pendant une heure dans la maudite balançoire de la rue de la Gare.

Bon. C'est tout ce qui est arrivé, rien.
C'est ridicule, mais j'oublierai jamais ça
même si je devais vivre deux ou trois mille
ans encore.

Bon. C'est tout, on en parle plus. On
reparlera d'une autre Mireille et d'un autre
François, c'est à peine si on les reconnaîtra
l'un et l'autre tellement on peut vieillir vite
entre treize et dix-huit ans.

Fallait bien que je revienne à Québec.

41

Dieu merci, y a pas de bon collège à La Malbaie. Y en aurait eu un que ça aurait été une affaire de séculiers, sans prestige, un collège pour les pauvres qui veulent en sortir en se faisant prêtres. Y en avait pas. Et puis, les Sigouin, ça leur prend un collège de jésuites, ce qu'il y a de mieux, des principes, de la discipline, des relations pour plus tard, « avoir été au collège avec un ministre ou un évêque ça nuit pas dans la vie », disait mon père. S'il y a tant de juges et de gros avocats dans ma maudite famille, c'est pas un hasard. On prend les moyens, on connaît les méthodes sûres, éprouvées depuis des générations.

Le grand-père, il aurait peut-être voulu me garder, moi sa « présence », son poisson rouge, mais il connaissait trop bien les mœurs du clan dont il était encore, malgré tout, le grand chef. Il avait seulement réussi à m'écœurer jusqu'à la fin d'août. Fallait donner le temps à ma mère de « monter à Montréal » avec moi pour m'habiller chez *Morgan*. Un Sigouin, ça s'habille pas chez *Paquet*. Ça, jamais ! On crache sur Montréal pour tout et pour rien, mais on s'habille à Montréal, même les *B.V.D.* de Sa Seigneurie viennent de chez *Morgan*.

Le jour béni du départ, je me vois encore dans le corbillard, assis à côté du grand-père qui avait vraiment l'air d'avoir de la peine, avec la Séverine derrière qui braillait : en trois ans, elle avait sauvé mon âme et voilà qu'on allait me lâcher dans la grande ville où je perdrais toute ma « religion ». Elle savait pas si bien dire, la vache.

Quand je traversais le village en auto avec le grand-père, je me calais au fond de la banquette pour que les enfants me voient pas : j'avais trop honte de la dégueulasse de Chrysler, honte du grand-père et honte de moi-même, petit snob malgré lui.

Dernier supplice, la gare. Le train était toujours en retard. Mais une fois, il y a bien des années, il s'était foutu du monde en passant un quart d'heure avant le temps : la tante Rose-Marie avait manqué le train, on en parle encore dans les réunions de famille, on en parlera jusqu'à l'extinction de la race et, depuis ce jour maudit, le grand-père, il arrive une demi-heure à l'avance, il se promène d'un bout à l'autre du quai, saluant les « communs » d'un coup de lorgnon, l'air important comme si le train de six heures dix devait arriver à la suite d'une demande personnelle qu'il aurait faite au président du C.N.R.

Et moi, il me traînait par la manche, me poussait affectueusement (« T'approche pas de la voie ferrée, mon pitou ! ») devant tous les badauds rassemblés qui nous épiaient, manquant pas un mot, au spectacle qu'ils étaient.

Il est arrivé, le train, à l'heure mais le *show* était pas fini. Fallait montrer au peuple que l'honorable juge Sigouin c'était vraiment un ami intime du président du C.N.R. Chaque fois, il faisait le coup. Quand le conducteur descendait sur le quai, le grand-père s'en approchait lentement et lui disait d'une voix douce : « Bonjour, mon brave ! » Il lui tapotait l'épaule. « Mon brave », comme dans la maudite comtesse de Ségur. Le conducteur avait compris. Il connaissait les habitudes du juge, discutait pas, baissait la tête, tout heureux de pouvoir être utile à un « honorable », ça peut servir un jour.

Enfin, le grand-père me poussa dans l'escalier et vint me reconduire à ma banquette, avec la Séverine par derrière. Il me trouva une bonne place, côté gare, et s'assit tranquillement devant moi pour me faire ses recommandations. J'aurais voulu le tuer. Il ferait perdre au moins cinq minutes à un train de sept wagons. Et ce qui m'écœurait le plus, c'était de deviner les commentaires des badauds, sous le charme de ce monsieur-juge capable d'une performance pareille. Quand on est l'ami du président du C.N.R. ... Les règlements, c'est comme les lois : pour les pauvres. Et les pauvres trouvaient ça formidable. Pas mûrs pour la révolution, si vous voulez mon avis.

« Le siège du cabinet, tu m'as bien compris ? Et parle à personne. On sait jamais quelle sorte de monde voyage dans les trains. Tu comprends, c'est public... D'ailleurs, le conducteur est averti. »

J'écoutais pas, j'étais quasiment couché pour pas qu'on me voit de l'extérieur, je comptais les secondes.

« Fais attention à ton argent. Y a toujours des voleurs dans les trains. » J'avais deux piasses et demie dans le fond de ma poche où Séverine avait fourré un mouchoir grand comme un drap.

La Séverine, elle braillait toujours. Elle a quand même fini par me cracher dans l'oreille ses ultimes âneries : « Ce que je vais te donner... Faut pas... C'est précieux... Si tu veux faire une bonne mort... Tu veux faire une bonne mort, hein ? mon petit François, mais répond ! »

J'ai dit oui, mais je voulais pas faire une bonne mort tout de suite. Maudit de maudit ! J'avais treize ans ! Je voulais qu'ils me foutent la paix, que le train parte et moi dedans, pour toujours.

Timide, ses dents d'or au soleil, le conducteur s'était approché de nous. Disait rien. Attendait que le juge se décide à laisser partir son train. En rentrant chez lui, il racontera à sa femme : « Mon ami, le juge Sigouin... »

Toute en larmes, Séverine le voyait pas, le conducteur : « Une bonne mort, c'est tout ce qui compte dans la vie. Tu te souviens du père rédemptoriste qui nous avait parlé de ce pécheur qui avait pris le train et qui s'était mis en boisson ? Tu te souviens de ce qui lui était arrivé, hein, mais parle donc, François ? »

Oui, je me souvenais : le train déraillé, le gars saoul tué raide, sans les sacrements, sa bouteille à la main, tandis que son voisin de banquette qui avait son chapelet... on oublie pas des histoires pareilles.

Alors, elle m'a donné un agnus dei, un truc en forme de cœur, bourré de bran de scie, comme une pelotte à épingles, avec un agneau dessus dessiné par les sœurs, à l'huile, et béni au maximum. Je commençais à flancher : cette pelote à épingles, la vieille bigote, c'était quand même un peu son cœur à elle. « Un cadeau du chanoine Mercier, j'y tenais comme à la prunelle de mes yeux, ça a passé deux jours et deux nuits dans le tombeau de Notre-Seigneur à Jérusalem. »

Elle m'a eu, la Séverine, j'ai compris que je l'aimais un peu quand même, au moins dix millions de fois plus que mon grand-père, faut bien le dire. Elle m'a eu, j'ai embrassé sa vieille peau ratatinée et j'ai senti des larmes couler sur mes joues roses de petit cave de sentimental. Je l'ai mis dans ma poche sa pelote à épingles en forme de cœur et, jusqu'à ce jour, je la traîne partout, toute sale. C'est bête, mais dans n'importe quel cœur, même bourré de bran de scie, y a toujours une miette d'amour. Et avec ça on peut changer la face du monde, moi je crois ça, et peut-être faire une bonne mort, sait-on jamais.

L'honorable vieux Sigouin s'est levé, lui aussi, m'a embrassé, il avait pas d'agnus dei à me donner, rien que des maudits conseils sur les microbes. Il a dit au conducteur : « Merci, mon brave ! » Il lui a offert un cigare.

Chapitre V

C'est joli La Malbaie. Pendant trois ans, je l'avais pas regardée, mais de la voir s'en aller derrière le train, comme un maudit rêve, ça m'a fait mal. Pour moi, ce beau village venait de mourir, je le savais, jamais je reviendrais ici de ma vie, c'était décidé depuis trois ans.

J'allais enfin revoir Québec : ah ! je l'ai dans la peau cette ville-là, peux pas m'en passer vraiment. Chez le grand-père, j'en rêvais des fois pendant des jours. Je sais, il y a des tas de belles villes dans le monde, des machins comme Rio de Janeiro sur les calendriers d'*Air France,* ça a pas l'air croyable tellement c'est beau la nuit, Paris forcément, et Naples, je présume. Petit adolescent ignorant, petit Sigouin tout plein de complexes, je peux pas juger, c'est sûr, mais en attendant, j'aime Québec.

Je sais, je sais que la ville est remplie de dégoûtants personnages, gros fonctionnaires écœurants de suffisance, petits fonctionnaires écœurants de servilité, ça pue la politique dans tous les quartiers, je suis même certain qu'il y a pas plus laid sur la terre qu'un authentique bourgeois de Québec, y en a plein la Haute-ville, ça se répand dans Sainte-Foy, des rats bien gras, ça manque jamais la messe, ça *fait* la charité, c'est puissant, c'est riche, c'est écœurant.

J'aime Québec quand même, ses monuments stupides, ses vieilles rues défigurées par le néon, son épais *Château Frontenac,* sa grande dégueulasse de Terrasse, j'aime tout ça à mort. Et les gens sympathiques qui se promènent là-dedans, pas pressés, ça se fend en quatre pour vous dire où c'est le 49½ de la rue Saint-Louis, les filles sont plus belles qu'ailleurs même si elles s'habillent pas chez *Morgan,* demandez à un matelot qui a fait le tour du monde, les enfants sales font moins pitié qu'ailleurs, même les voyous de Québec ils me réconcilient avec toute la maudite province catholique et française.

Ma mère était à la gare, heureuse et belle, un peu gênée aussi de retrouver son gars si grand. On s'était vu au Jour de l'An, mais j'arrête pas de grandir, plus que six pieds ça m'embêterait, quand même.

Pauvre maman, elle se tuait à m'expliquer que Sa Seigneurie mon père voulait l'accompagner, qu'il avait un jugement à rendre le lendemain, que sa santé, depuis un an ou deux... Il s'était jamais dérangé pour moi une sacrée fois depuis ma naissance, il siégeait le matin de mon baptême. Pauvre maman, elle se tuait pour rien, j'avais compris depuis longtemps. S'il était venu à la gare, je serais tombé mort de surprise. Ou de joie, est-ce que je sais, moi ?

« Arthur nous attend. » C'était le chauffeur. Façon de parler. Un pauvre type, un peu niais, un gars pas de parents qui avait été élevé dans les communautés, une vache de vie passée à chauffer les fournaises des sœurs grises, à cirer tous les maudits planchers de bois franc des ursulines, à torcher les vieux de l'Hospice de Lévis. Un jour, Arthur, il avait volé cinquante piasses à la sœur économe, il avait pris la grand-route qui allait à Montréal mais s'était trompé de bord : on l'avait retrouvé à Saint-Siméon, au bout du quai. Il regardait l'eau d'un drôle d'air.

La police provinciale l'avait ramené à Québec, fourré en prison comme on rentre au chenil un chien méchant. On l'a oublié là pendant des mois avant de le conduire devant le juge. C'était pas un vendeur de narcotique, un politicien véreux, un fraudeur de l'impôt ; pour les tribunaux, c'était rien Arthur, un prolétaire du crime, un minable petit voleur de sœurs, pas de parents, rien. Encore chanceux qu'on l'ait pas oublié en prison jusqu'à sa mort, comme tant de tout nus avant lui.

Au bout de six mois, on l'a tout de même conduit au tribunal, devant le juge Fulgence Péladeau, cousin germain de mon père, pas compliqué, celui-là, mais ivrogne, toujours saoul sur le banc. Souvent, il s'endormait net pendant les envolées des procureurs, se réveillait en sursaut, faisait tout relire dix fois au sténographe, se rendormait. Les avocats l'aimaient bien parce qu'il imposait toujours des petites sentences. Il avait rien entendu, il était pas méchant, alors il donnait une chance, toujours moins que plus.

Ce matin-là, c'était en avril, il était sobre, venait de faire ses pâques. Mais sobre, le cousin Fulgence, c'était plus du monde. Un malchanceux, l'Arthur. « Les jeunes qui n'ont pas eu de parents, ça finit toujours dans le crime. J'y peux rien, c'est comme ça. Si je vous remettais en liberté, n'importe quel citoyen, religieux ou laïque, pourrait être encore victime de vos convoitises, je serais en quelque sorte votre complice. Mon devoir, c'est de protéger la société, de veiller à ce que les honnêtes gens ne soient pas dépouillés par de jeunes dévoyés de votre espèce qui mordent les mains qui les nourrissent. Deux ans ! »

Le soir, mon oncle Rolland, procureur de la Couronne, avait bien ri en racontant l'affaire à mon père : « Si Fulgence s'était tapé son dix onces comme d'habitude, le petit gars s'en serait tiré avec quinze jours de prison. »

Le petit gars Arthur avait dix-neuf ans à l'époque. A vingt ans, enfin libéré grâce à une mystérieuse intervention de mon père, il avait une tête de vieillard, avec des poils blancs partout dans ses cheveux sales.

Pourquoi Sa Seigneurie s'était-elle servie de son influence politique pour sortir Arthur de prison ? Pour un peu réparer l'injustice commise par le cousin Fulgence ? Je l'ai cru, presque, pendant longtemps, je voulais tellement le croire. Je suis comme ça, je me raconte des histoires où les écœurants finissent par avoir du cœur et par se sauver, je me mens pour embellir mon petit monde. Un bien mauvais système : quand je finis par ouvrir les yeux, mes illusions dégringolent de haut et viennent s'écrabouiller dans la merde, où je devrais rester assis bien tranquille.

Et puis, les dégueulasses d'adultes devraient se méfier des enfants : ils devinent tout, ils comprennent tout et ils écoutent aux portes. Sous l'escalier, juste en face du salon, il y avait une sorte de cage à claire-voie où on rangeait les tables à cartes et les chaises pliantes. C'était facile de se cacher là-dedans, il y avait même de la place pour Suzanne et on écoutait tout ce que les parents racontaient jusqu'à minuit, une heure, jusqu'à l'épuisement, l'écœurement. J'en ai appris de jolis scandales, j'en ai entendu des secrets professionnels comme ils disent et, un soir, j'ai compris pourquoi mon père s'intéressait à Arthur.

L'oncle Rolland en était à son troisième ou quatrième whisky. Tout sentimental, larmoyant presque, baveux. Mon père avait sans doute bu tout autant, mais ça paraissait moins. Faut lui donner ça, à Sa Seigneurie : il sauvait la face.

Maman était couchée depuis longtemps, je la comprends, et les deux frères se faisaient des confidences. Dans le genre sordide. Des fois, je prenais la belle petite tête de Suzanne dans mes mains pour lui boucher les oreilles. Un gars ça peut en prendre, mais une innocente de fille...

« Hormidas, disait l'oncle Rolland en roulant les *r* comme tous les maudits Sigouin, moi compris, Hormidas, faut que tu me dises la vérité sur Arthur. Ça me chicotte. Des gens m'en parlent, on insinue des tas de saloperies... »

Mon père grogna un peu en se versant un autre whisky.

— Des saloperies ? Quel genre de saloperies ?

L'oncle Rolland accusa froidement mon père d'avoir exercé des pressions sur le procureur général pour faire libérer Arthur avant le temps. C'était plutôt raide... Mon père s'étouffa avec une gorgée de whisky, je pensais qu'il allait se fâcher pour de bon, je l'espérais de tout mon cœur. Non, il recula.

— Un geste humain, par-ci par-là, c'est permis, même à un juge.

Ça sonnait faux. C'était faux. Le Rolland ricana. Il avait raison, c'est sûr.

— Hormidas, dis-le franchement : pourquoi t'intéresses-tu à un petit voleur, bâtard par-dessus le marché, un inconnu...

— Un inconnu...

Le ton était curieux. Même saoul, l'oncle Rolland, il pigeait vite.

— Alors quoi, c'est pas un inconnu ?

— J'ai pas dit ça.

L'avocat avait gagné la partie, c'était un as du contre-interrogatoire, se vantait de casser n'importe qui dans une boîte à témoin. Question de patience, qu'il disait.

— D'accord, tu n'as pas dit ça, mais sais-tu ce qu'on raconte au Palais, au Club de la Garnison, au *Continental,* partout ? On dit que le père de ce bâtard, c'est l'honorable...

— Quoi ? hurla mon père.

Suzanne eut peur et me serra très fort.

— L'honorable Hormidas de L. Sigouin ! lança le Rolland dégueulasse, je lui aurais joyeusement brisé une bouteille de whisky sur la tête, je le haïssais parce que j'avais peur. Peur que ça soit vrai.

Mon père me rassura d'un coup de gueule formidable, il nia avec une telle force que je le crus à l'instant même. Il lui arrivait comme ça, mon père, rarement, d'être beau.

Le Rolland eut encore plus peur que moi. Il se leva, prêt à se sauver s'il avait pris envie à mon père de lui casser la figure, ce que je souhaitais de toutes mes tripes. Le Rolland bafouillait, t'énerve pas qu'il bafouillait, ménage ton cœur, disait-il en pensant au sien. Il se mit ensuite à se confesser, l'animal, à vomir tous ses péchés de jeunesse, à parler des filles avec qui il avait couché dans le bon temps, des petits bâtards qu'il pouvait sûrement revendiquer lui aussi, c'est la vie, faut pas se faire des montagnes avec rien, comme si mon père se grandirait à ses yeux en avouant lui aussi quelque misérable affaire.

— D'ailleurs, j'ai vu le dossier au bureau du procureur général...

Le coup porta.

— Tu as vu...

— Oui.

— Quoi ? Tu as vu quoi ?

Mon père était exaspéré. S'il a le cœur aussi malade qu'il le dit, il devrait au moins faire une crise.

— Qu'est-ce que tu as vu dans le dossier du procureur général ?

— Un petit mémo de rien du tout, cinq ou six lignes tapées sur une feuille jaune : « Ce détenu doit être libéré immédiatement. Demande expresse de l'Honorable juge H. de L. Sigouin. Affaire délicate pouvant jeter du discrédit sur la magistrature en général.

Demande accordée. » C'est clair ou c'est pas clair ?

Cette fois j'ai bien cru mon père vaincu. Il resta deux bonnes minutes sans répondre, faisant tourner son cube de glace dans son whisky. Et j'appris enfin la vérité. Arthur, c'était un coup du grand-père Sigouin, une « erreur de jeunesse » commise à l'âge de cinquante ans, avec Imelda, la cousine un peu faible d'esprit... A sa façon, le grand-père, c'était un scrupuleux. Il avait des « principes », lui, qu'il disait. Il s'était occupé du petit, c'est-à-dire qu'il l'avait placé chez les bonnes sœurs. Allez, ouste ! Un catholique de plus dans la Province ! Mais fallait pas que l'enfant soit adopté, pouvait tomber dans une famille « ordinaire », chez des ouvriers, peut-être. Imelda finit par disparaître dans la brume, du côté de Boston. Alors, le grand-père et ses principes s'occupaient d'Arthur. Un chèque aux sœurs de temps en temps. Pas question de le voir, mais fallait qu'il le sache au chaud quelque part. Quand il apprit qu'Arthur était en prison, le vieux dégueulasse est venu supplier mon père d'intervenir auprès du procureur général. Mon père voulait pas, fit des colères épouvantables, mais finit par céder.

Drôle d'homme, mon père, peut-être moins dur qu'on pense...

Et c'est ainsi que je me retrouvai avec un nouvel oncle, bâtard et chauffeur de juge, sigouin tout de même. Un secret de famille en forme d'esclave.

Chapitre VI

Dans notre grosse maison de la Grande-Allée, j'avais pas connu ce qu'on appelle une enfance heureuse, mais j'avais tout : une salle de jeux bourrée de jouets, une belle chambre à moi tout seul avec deux lucarnes, un terrain immense, une piscine et même un petit trottoir particulier pour aller à patins à roulettes sans risquer de me faire écrabouiller par un camion. « Tu as tout pour être heureux », me disait souvent mon père. Oui j'avais tout, mais j'avais rien parce que mon père aimait pas ma mère.

Longtemps, j'ai cru que c'était comme ça, dans la vie. Chez l'oncle Rolland et chez l'oncle Jean-Luc, ça s'aimait pas non plus ; l'Emile et la Rose-Marie, ça se haïssait à mort ; l'oncle Conrad, lui, il avait pratiquement tué ma tante Sylvie... C'était mon monde, pour moi c'était le monde. Ça travaillait, ça buvait, ça faisait semblant de s'amuser, mais ça s'aimait pas. A La Malbaie, je rêvais souvent d'une petite maison d'ouvrier, comme celle des parents de Mireille, avec un père qui serait pas juge, qui boirait de la bière et qui cajolerait ma mère. On est jamais content.

Quand même, j'ai eu un frisson, un coup de joie quand j'ai ouvert la porte de la maison. Ça sentait bon. C'était tout calme. Suzanne à l'école et mon père, naturellement, au Palais de Justice. Ma mère m'a fait une tasse d'*Ovaltine*. Il y avait des biscuits *Feuille d'érable,* comme dans le temps. Ma mère parlait, parlait. C'était doux. Je me sentais assez heureux, paisible en tout cas. Les prochains jours seraient bien excitants. Le voyage à Montréal, la frénésie de chez *Morgan,* l'entrée au Collège des Jésuites, des tas de copains, enfin, qui sauraient rien de mes petites misères de La Malbaie.

La Malbaie ? Qu'est-ce que c'est que ça ? Un mauvais rêve, la Séverine est une vieille fée Carabosse et le grand-père un bonhomme Sept-heures, tous les deux morts et enterrés parce que je crois plus aux contes pour les enfants, merde ! j'entre en éléments-latins, ma voix commence à muer, je suis redevenu un gars de la ville, j'ai treize ans, La Malbaie, connais pas.

L'euphorie du retour dura jusqu'au milieu de la soirée, jusqu'à l'arrivée de mon

père. Il fit semblant d'être heureux de me revoir, il fit semblant de s'intéresser aux nouvelles de La Malbaie, il fit même semblant de me traiter « en copain » puisque, n'est-ce pas, je commençais mes études classiques. Je me laissais prendre au jeu quand, après dix minutes d'effort, il se plongea brusquement dans la lecture du *Soleil*. Suzanne, il lui avait même pas dit bonsoir. Maman était malheureuse et moi je me secouais de ma petite joie d'imbécile...

Il était pas méchant, mon père. Il disait rien de carrément désagréable, mais, comme la mouffette pas méchante, il avait le don d'empoisonner l'air du Bon Dieu. Il en souffrait peut-être, sûrement pas autant que nous. Maman, Suzanne et moi allions nous réfugier dans la bibliothèque où ça sentait moins.

ↄ

Les années passèrent, éléments, syntaxe, méthode, rien d'intéressant. Quelques copains, je cherche un ami, un vrai, maudit que c'est rare ! On se démantibule le cœur et on finit par découvrir que l'autre est un dégueulasse. Les filles de mon âge, je les trouve encore plus bêtes que les gars, ça rit pour rien, ça se croit sexy à mort, c'est vide à donner le vertige. Je me contente du souvenir de Mireille, je m'endors avec elle tous les soirs, un jour j'aurai vingt et un ans, maudit ! Je lui écris des lettres, des vrais poèmes, je les déchire. Je sais qu'elle est pensionnaire quelque part, c'est la tante Rose-Marie, la vache, qui nous a appris la nouvelle : « Le monde à l'envers ! Les ouvriers sont rendus qu'ils font instruire leurs filles. C'est pas étonnant qu'on a du mal à se trouver des bonnes ! » Je l'aurais égorgée la Rose-Marie, é-gor-gée !

Versification, belles-lettres, rhétorique, je commence à lire, je dévore les deux rayons de la bibliothèque de Sa Seigneurie où il y a pas que des maudits livres de droit. J'ai découvert *Terre des hommes,* les pages pas découpées ; s'il avait lu ça, mon père, entre deux jugements, il aurait pu se sauver, devenir un être humain peut-être, ou avoir honte de lui, c'est mieux que rien.

Je parlerai surtout pas de mes maudits professeurs, ça serait trop moche, des caves, des bons gars, quelques écœurants, c'est comme partout. Sont pas pire que le reste de l'humanité parce que jésuites, y a même des dominicains qui valent pas trente sous. Mais qu'est-ce qu'ils peuvent bien connaître de la vie ? Ça entre au noviciat encore tout niais, ça se tape les exercices de saint Ignace, ça se fait botter le cul pendant des années — ils ont l'air d'aimer ça, faudrait des psychiatres — et puis ça vient nous dire quoi faire dans un monde dont ils connaissent rien.

C'est même chez eux que j'ai perdu la foi. Perdu, c'est peut-être encore un bien grand mot. Disons qu'après la Séverine, le coup des exercices de saint Ignace, c'est le verre de trop qui m'a assommé. C'est ça : je suis saoul, j'ai mon voyage, je dégobille partout, je veux plus rien savoir, qu'on me foute la paix avec saint Ignace et tous les autres pendant quelques centaines d'années et après on verra, quand je serai désaoulé.

Ah ! Mes pauvres jésuites, s'ils pouvaient savoir comme je les sens loin de moi, marmonnant leur bréviaire, tellement sûrs d'eux, le ciel dans leur poche, des maniaques qui ont tellement de polices d'assurance qu'ils sont plus jamais inquiets de rien.

Je sais pas si c'est à cause de leur robe noire, mais j'ai du mal à penser qu'ils sont vraiment des hommes ordinaires, qu'ils doivent tout de même l'enlever pour prendre leur maudite douche.

Dans les corridors du collège, ils marchent tous la tête haute, fiers d'eux-mêmes, aïe ! quatorze ans d'études, des savants, des as. Mais ça manque un peu de saints dans leur affaire, si vous voulez mon avis.

Des locomotives sans wagon qui vont leur chemin, chou ! chou ! ça s'écarte pas de la voie ferrée, forcément, ça se pose pas de question sur la route à suivre, ils ont la vérité, les dogmes, les indulgences, l'ingénieur est au contrôle, et roule, roule, jour et nuit, chou ! chou !... Merde !

Moi, petit François, jeune poulain farouche, sans bride, je broute dans un champ immense que traversent les locomotives. Ça m'impressionne, et chaque fois que j'entends les chou ! chou ! dominus vobiscum ! je fais un bond de côté, malgré moi.

Je voudrais leur crier : « Venez un peu de mon côté, payez-vous un petit déraillement, vous verrez mes révérends pères que c'est pas si drôle dans le clos des poulains où il faudra de l'argent pour vivre, des femmes pour coucher, des petits pour s'inquiéter, vous verrez ce que c'est l'obéissance, la pauvreté, la pureté et le reste ! »

C'est idiot ce que je dis là, c'est injuste, je sais bien qu'ils doivent en arracher, le soir, dans leurs dégueulasses de chambres, seuls eux aussi, l'envie de tout foutre en l'air, d'aller faire du ski, d'embrasser une fille au bout de la Terrasse, d'oublier saint Ignace et toute la maudite patente. On jugerait jamais les autres si on savait comme ils nous ressemblent. Un poulain, une locomotive, un adolescent boutonneux, un grand bêta de jésuite, du pareil au même, un peu de joie, beaucoup de merde, la vie, maudit !

Et puis un beau jour, la philo I. Dix-huit ans. Enfin, presque...

Chapitre VII

Ce soir-là, j'étais allé un peu vacher aux *Deux Mandolines,* nos parents appellent ça un café beatnick, ils ont peur qu'on y fume de la marijuana et qu'on y fasse des cochonneries pas ordinaires. J'ai essayé de leur expliquer la chose, que c'est le seul endroit à Québec où les jeunes sont sûrs de se retrouver entre eux, de gueuler à l'aise en buvant un expresso à quinze cennes la tasse, on arrive en jeans et en chandail, c'est plein de fumée, il y a parfois un Noir qui joue du saxophone et un barbu qui récite des poèmes de fou, on y croit pas tellement, mais on se sent bien. Les parents comprennent pas, alors on leur ment en pleine face, tant pis pour eux : « Je vais étudier chez Ben... »

Des fois c'est vrai. On s'entend bien, Ben et moi. Des fois on va se taper le café noir aux *Deux Mandolines.* Ce soir-là, on avait envie de faire de l'œil aux filles. Bah ! pas tellement... L'envie d'essayer, pour voir. Il y en avait deux à la table voisine : une noire avec des maudits grands cheveux noirs qui coulaient sur son blouson de cuir — le genre de Ben, merci pour moi ! L'autre, je la voyais de dos. Des cheveux blonds, coupés droit, à donner le goût de regarder ce qu'il y avait de l'autre bord.

Ben et moi, on était pas des Casanova, ni rien, on s'y prenait plutôt mal, souvent les filles nous riaient au nez. En fait, la noire rigolait déjà des efforts de Ben, c'était pitoyable.

« On s'en va ! » que je lui dis, un peu humilié quand même. « Elles sont trop bêtes... »

C'est alors que la blonde s'est retournée pour jeter au moins un regard de mépris aux deux jeunes caves.

C'était Mireille ! Six ans après saint Antoine et ses maudits pains ! J'ai failli tomber mort. J'étais rouge, malade, voulais me voir à l'autre bout du monde, à Manic V, à Tombouctou... ou seul dans mon lit, dans les bras de Mireille comme tous les soirs.

Elle me regardait sans rien dire, paralysée elle aussi, mais belle, dix millions de fois plus belle que dans le temps, son grand cou si blanc...

Ben comprenait rien. Il avait peur que ça se gâte, voulait s'en aller. Moi, je savais même plus qu'il était là, Ben. Je voyais rien que Mireille, j'entendais rien que Mireille qui disait pas un mot.

Je sais pas ce qui est arrivé à Ben, s'il est parti avec la grande noire, comment je suis sorti des *Deux Mandolines* et tout.

Ce que je sais pour le reste de ma vie, c'est qu'à une heure du matin Mireille était blottie dans mes bras pour vrai. Enfin, maudit ! On s'était caché dans le petit parc tout noir, derrière l'Ecole d'Architecture, on parlait pas, on était bien, maudit qu'on était bien !

Ah ! je sais, je sais, « y a pas d'amour heureux », c'est écrit dans tous les romans, le Ferré trouve pas autre chose à chialer, ça doit être vrai, on verra. Mais faut pas se suicider. Faut vivre pour que ça arrive même une seule fois, Mireille au bout de la nuit...

Pendant deux mois, on s'est saoulé l'un de l'autre.

Tous les matins à sept heures et demie tapant, je me glissais comme un voleur jusqu'à la bibliothèque de Sa Seigneurie et je lui téléphonais, j'étais le réveille-matin de

Mireille. On chuchotait. Fallait pas qu'on m'entende dans la maison et Mireille partageait sa chambre avec une compagne.

C'était facile, on se disait presque rien, on s'écoutait respirer.

— Mireille...
— François...
— Tu es là ?
— Je suis là.
— Il fait beau...
— Oui...
— Tu es là ?
— Je suis là.
— C'est formidable.
— Il est quelle heure ?
— Tu le sais bien...
— Oui, je suis folle.
— Je suis fou.
— Pas tant que moi...
— Plus encore...
— Je t'aime.

On se disait rien, on se disait tout. Le quart d'heure traditionnel était toujours trop court.

— Encore une minute...
— Je manquerai l'autobus.
— Comme hier...
— Tant pis !

— Tant pis !

— Soyons sérieux.

— Bon, d'accord...

— A midi et trente.

— Promis.

J'étais en retard, je devais courir jusqu'à l'arrêt d'autobus en grignotant un biscuit.

Pendant les cours, je pensais à toutes les choses importantes que j'aurais à lui dire entre midi trente et une heure trente. Le dernier cours se terminait à midi, je sautais dans l'autobus et une demi-heure plus tard j'étais rue Saint-Jean à la chambre de Félix Landry, un ami de Mireille. Il partait le matin et rentrait tard dans la nuit : sa chambre était devenue notre île déserte, à Mireille et à moi. Nous partagions notre joie et nos sandwichs, nous parlions, parlions, parlions...

— Quelle heure est-il ?

— Merde !

Je lui en voulais de toujours me demander l'heure. Elle avait raison ; on a beau dire, les femmes perdent jamais tout à fait la tête, font semblant mieux que nous, mais...

— François, nous devenons fous, il est une heure et quart !

— Et quatorze !

— Si tu m'embrasses encore, il sera...

— D'accord, allons-nous-en, vas-y à ton maudit cours d'anatomie...

Elle se fâchait. Pas pour vrai. Je l'embrassais quand même en lui parlant de taxi, je me ruinais en taxis pour vivre de Mireille dix minutes de plus.

On dégringolait l'escalier comme s'il y avait le feu. Je hélais le maudit taxi, la poussais dedans en lui caressant encore un peu le cou, la regardais s'éloigner, lui envoyais la main, triste à mourir, comme si je devais plus la revoir de ma vie. Et pourtant nous allions nous retrouver à sept heures : « Maman, ce soir je vais étudier chez Ben... »

Et ça continuait jusqu'à minuit et ça recommençait le lendemain, même en période d'examens, j'étais tellement heureux que ça me donnait du talent, je me débrouillais sans étudier, bah ! j'aurais joyeusement bloqué ma philo I plutôt que de me priver d'une seule seconde de Mireille.

Mais fallait que ça finisse... Comme dans la maudite chanson de Bécaud que Mireille fredonnait parfois, l'air de rien : « J'attends que l'un de nous... trouve le cran... de libérer un beau matin... ces deux pantins... »

Au début de novembre, Félix annonça à Mireille qu'il avait besoin de sa chambre tous les soirs. Faisait des réunions, le grand imbécile. Et Mireille en était. Et moi pas. Je l'aurais tué, le Félix, je sentais qu'il dominait Mireille de quelque mystérieuse façon...

— C'est quoi vos maudites réunions ?

Mireille m'embrassait sans répondre, femme elle l'était bien devenue, fini le petit page du Marquis de Carabas ! Et puis, il y avait entre nous quelque chose de très subtil, de jamais exprimé, qui nous incitait à plus passer des journées entières l'un près de l'autre. L'idée de coucher avec une femme, ça m'effrayait pas. Mais j'avais une seule vraie peur : coucher avec Mireille. Je sentais qu'il fallait pas, que ça tuerait quelque chose, peut-être tout. Nous étions deux petits héros, c'est sûr, nous vivions six heures par jour dans notre île déserte de la rue Saint-Jean, nous nous embrassions en fous et combien de fois nous sommes-nous endormis dans les bras l'un de l'autre, délicieusement terrifiés par la pensée qu'à notre réveil nous serions peut-être des amants. Disons-le, c'était pas la crainte du péché qui nous paralysait tous les deux, on y croyait pas tellement, c'était... je sais pas... maudit... on était pur...

Quand Félix nous priva brusquement de notre île déserte, nous étions presque contents, Mireille et moi. On se le disait pas, aïe ! Mais chacun savait que l'autre était content, que notre bel amour d'adolescents s'éteindrait pas comme une histoire d'adultes.

On se verrait quand même, on irait au cinéma, aux *Deux Mandolines,* je la présenterais à ma mère, on serait des copains. On essayerait...

Oui, mais les maudites réunions... Ça, ça m'agaçait à mort.

— Tu pourrais pas me faire inviter, des fois, par ton Félix ?

L'idée d'une réunion quelconque chez Félix m'emmerdait : dès que j'étais pas seul avec Mireille, mon plaisir était foutu. Mais la curiosité me rendait malade. Ou la jalousie, peut-être, je suis pas psychiatre.

Il m'a fallu deux mois d'efforts pour découvrir le secret ! Et encore, c'est par hasard, en lisant dans *L'Evénement* une petite nouvelle sur une manifestation séparatiste... Je devinai enfin ce qui pouvait se tramer, le soir, chez Félix.

Avec Mireille, je parlais jamais de politique : on avait pas le temps ! Puis, sans que ça paraîsse, avançant avec la prudence d'un chat, je fis croire à Mireille que l'exploitation éhontée des Canadiens français par les maudits Anglais était devenue la grande angoisse de ma vie, que je brûlais d'agir, de me donner à la cause de l'indépendance et bla bla bla.

Mireille faisait à peine semblant de s'intéresser à mes nobles angoisses, elle changeait de sujet, m'embrassait pour me faire taire. Mais elle en parlait à Félix, c'est sûr.

Un soir que nous bavardions aux *Deux Mandolines,* le Félix est venu s'asseoir à notre table. Après quelques niaiseries, j'ai glissé mon couplet séparatiste, c'était facile depuis le temps que je pratiquais, pour tout dire j'avais fini par y croire. Félix écoutait sans parler, je voulais lui vider ma tasse de café bouillant sur la tête. Et brusquement, prenant un air inspiré, il me dit :

— Demain soir à dix heures.

— Quoi ?

— A dix heures.

J'avais compris.

— Mais où ? Quoi ?

— A dix heures chez moi. Une réunion. Mireille t'expliquera.

Et pour faire de l'effet, il s'en alla sans même dire bonsoir.

Mireille était ravie. Le chef avait parlé, j'étais invité à *la* réunion, un jour peut-être je deviendrais un membre de leur patente.

Ah ! si papa y savait ça !

Chapitre VIII

Le cerveau de la Cellule 315, c'était le grand zarzais de Félix. Fallait l'appeler A-315, même quand on prenait une bière ensemble ou qu'on se racontait des histoires salées.

Il avait une âme de chef, qu'il disait, un nervoso-bilieux, né sous le signe du Lion et toute la merde. Cent fois, je lui aurais cassé la figure, bien sec, pour en finir, mais ça m'aurait brouillé avec Mireille qui l'aimait bien son A-315. Un peu beaucoup trop à mon goût. « Il est intelligent », qu'elle me disait. Quand une fille commence à trouver un crétin intelligent, faut se méfier, y a du sexe dans l'air.

Je lui parlais le moins possible, au Félix, je lui disais que j'étais séparatiste à mort, pour qu'il me foute la paix. J'aime pas les histoires de cul, ça m'ennuie : un complexe sigouin, très certainement. Avec Félix, c'est tout dire, j'étais ravi quand il racontait la dernière des salées, je préférais ça à son bla bla bla habituel, tout plein de racisme et de marxisme mal digérés, assaisonnés à la Castro ou à la Ben Bella, selon le jour, de la merde pseudo-intellectuelle, je pouvais pas tolérer, pas cinq minutes, alors, vite mon Félix, passe aux fesses, raconte un peu l'histoire du gars de la campagne qui avait abordé une putain, rue Saint-Joseph...

Je préférais ça : chaque fois que Félix faisait le porno maison, Mireille voulait vomir, elle le détestait son A-315, il dégringolait de son piédestal.

Félix, c'était un autodidacte-ma-chère, une huitième année et puis la science infuse, Marx dans le *10/18* ($0.75), *Le Capital,* texte intégral, volé dans une librairie de bourgeois, du Mao Tsé Toung de propagande, gratis, en vers, en prose, bref, c'est assez clair : autodidacte, chef révolutionnaire, vingt et un ans, génie !

Il vivait de rien, une chambre à dix piasses par semaine, rue Saint-Jean, payée par un admirateur anonyme (André-S. Lemieux) qui avait fait fortune dans les pompes funèbres et qui aimait bien les jeunes garçons. Le croque-mort subventionnant les garoche-dynamite : bon placement, fallait y penser, passez à la tête, vous serez président de la Chambre de commerce.

Il vivait de rien, Félix, et le disait bien haut. Un rien en forme de camemberts bien faits, de saucisson importé, de Beaujolais (« Le Chauvenet ; l'autre il manque un brin de corps. » La vache !), de bifteck-pommes-frites le vendredi pour faire français et laïque.

Il y a six mois, sans provocation particulière, il s'était donné au Québec qui lui demandait rien. « Jusqu'à la mort ! » Mais soignait sa petite santé, lui fallait du repos, souvent, de la « méditation » au bord d'un lac, poissonneux de préférence, et l'hiver près d'une piste de ski.

Bref et rebref : un chef.

Son lieutenant, qui ressemblait plutôt à une sorte de valet (« Va me chercher des *spare-ribs* chez le Chinois... Et de la bière... De la *Dow,* c'est syndiqué ! ») c'était mon doux Ben. Se destinait aux Sciences sociales, rêvait d'enseigner un jour à Laval. Des aspirations bourgeoises, en somme, rien pour impressionner le Félix. (« Et deux *egg rolls* avec ! »)

Comme de bien entendu, il s'appelait B-315. Pour Mireille et moi, c'était Ben, un bon gars, Benoît Langelier, fils d'un juge de la Cour supérieure, comme mon père.

Ça nous rapprochait en ce sens qu'on l'avait dans le nez tous les deux la magistrature et tous ses petits papes en toge.

Un bon gars, Ben, un gars doux, tout en cœur, il avait un certain sens de l'humour, mais bloqué : avec lui, on pouvait se moquer gentiment de tout... sauf du séparatisme. J'essayais souvent, quand on était loin du maudit A-315, j'essayais, rien à faire, son sourire se figeait net, il prenait son air farouche des mauvais jours, disait plus un mot ou alors, implorant presque : « Non, mon vieux, pas ça... pas ça... »

J'avais tort d'insister, je lui faisais mal pour rien, je le regrettais, je recommençais...

Certains soirs, on se tapait le Ferré tous les deux, les *Chansons* d'Aragon, pendant des heures, sans parler. On se sentait copains à mort. A minuit, il me serrait la main, souriait et partait comme ça, sans un mot, heureux, comme moi.

Ce que je comprenais mal, c'était son adoration pour Félix. « C'est pas Félix c'est la cause... » Quand même ! C'est Félix — je devais l'apprendre un jour — qui empilait les bâtons de dynamite et qui gueulait, gueulait, gueulait. C'est Félix qui rêvait de faire sauter telle saloperie de monument anglais, telle heure, tel jour. « Pas de révolution sans obéissance aveugle ! » disait Ben. L'obéissance, mes fesses ! Obéir à un crétin comme Félix, faudrait jamais, voilà ce que je pense.

Malgré tout, je m'attachais à Ben tous les jours un peu plus. On évitait de parler de « la cause » et, dans le *no man's land* de l'amitié, nos petits cœurs sensibles se portaient bien.

Mireille, bien sûr, remplissait presque ma vie. Mais je l'aimais trop, j'avais du mal à tout partager avec elle ; en pleine discussion philosophique, j'avais parfois tellement envie de l'embrasser que je l'écoutais plus. Elle m'en voulait, alors, pensant que j'aimais seulement son corps et la trouvais peut-être sotte. Sa seule présence me donnait tant de joie, maudit, que je pouvais désirer rien de plus.

Avec Ben, c'était pas la même chose. On était des copains, on discutait pendant des heures, je l'engueulais, on se moquait des autres autant que de nous-mêmes. Passant par les souvenirs d'enfance, les éditoriaux du *Devoir,* le dernier Bergman et nos opinions bien arrêtées sur les femmes, on arrivait à Dieu, toujours. Pratiquait pas depuis deux ans, Ben. Comme moi. Il se disait « laïque » ! Mais il était encore tout farci de Dieu, comme moi. Et parce qu'on s'aimait bien tous les deux, et que Dieu, l'amour, l'amitié c'est un peu tout pareil, on y échappait pas. On devient athée quand on aime personne.

Dans la cellule 315, il y avait bien encore trois autres fanatiques, des nullités, ratés à cent pour cent. J'en parle par acquit de conscience, puisqu'il faudra en reparler plus loin.

Fred : C-315, vingt ans, prétend qu'il va aux Beaux-Arts, Dieu sait quand, gueule contre l'académisme, sait même pas ce que le mot veut dire, barbouille des toiles grandes comme un mur, plus bêtes qu'un mur, se laisse pousser la barbe pour avoir l'air dégueulasse, pas d'épaules, pas de fesses, il lui manque des morceaux, gratte la guitare, il a composé un hymne national du Québec libre sur un rythme yé yé. Un fou.

Yonesko : D-315. On l'appelle Koko, le gars. Un jeune émigré hongrois de dix-neuf ans. On se les partage, les Néos, un par cellule. Ça fait international, moderne, dans le vent. Yonesko a échoué dans la 315 à cause de Ben. En arrivant de Hongrie, en

1957, la famille Yonesko avait trouvé asile chez les parents de Ben, l'Archevêque était pour ça. Tout boursouflé de patriotisme, le petit Hongrois avait contaminé le doux Ben. Un gars perdu, le Koko. Pas de sa faute. Si j'avais vécu une révolution, une vraie, je serais sûrement plus amoché que lui. Un gars fini avant de partir, tué dans l'œuf, un Yonesko assassiné.

Enfin, Jean-Guy Laflamme. Celui-là ! Me tombe sur les nerfs comme dix millions d'aiguilles. Ignorant, borné, hâbleur, mais connaît la mécanique, ça les impressionne à mort, les autres. Pour faire la révolution, paraît-il, ça prend de la mécanique. Gandhi, il avait pas de mécanicien. Pas à cinq cent milles à la ronde. Mais le Félix A-315, il lui fallait un gars-du-peuple tout à côté, un mécanicien, en cas. Jean-Guy, si on veut mon avis, il était pas plus séparatiste que le président de la *Price Brothers*. Seulement, ça le flattait de venir à des meetings, rue Saint-Jean, de s'appeler E-315 trois soirs par semaine, d'être traité en égal par les 315 plus instruits.

C'était ça la cellule de choc du L.M.Q., les commandos, qu'ils disaient, les caves.

Seulement, pour compléter le petit tableau romantique, la Cellule 315 avait besoin d'une belle fille de service. Entendons-nous. Pas pour coucher : Félix se plaisait à répéter à ses dévôts qu'un vrai révolutionnaire ça respecte les femmes, inspiratrices de toutes les révolutions et bla bla bla.

La cellule avait besoin d'un sourire complice...

Chapitre IX

Félix me convoquait régulièrement aux réunions du vendredi soir, j'y allais surtout pour pas m'éloigner de Mireille, mais d'une fois à l'autre, je devenais un peu plus séparatiste. Ça m'agaçait. Quand je pense comme tout le monde, ça m'agace et ça m'inquiète. Tout peut pas être si simple. J'ai pas d'amour pour la Confédération, les Anglais et tout, mais certains soirs, il me prenait de folles envies de les défendre devant ma bande de fanatiques. Pour le plaisir... Félix m'aurait foutu à la porte, Mireille aurait boudé pendant un mois. Et puis, on m'avait pas encore donné un numéro, je me sentais comme un invité dont on se méfie, un aspirant dont on espère qu'il finira par faire une gaffe... et puis bonsoir !

Pire, j'avais l'impression qu'on tenait d'autres réunions auxquelles j'étais pas invité. Mireille me jurait que non, mais elle avait pas de numéro, elle non plus !

Un soir, enfin, après un interminable discours sur la révolution de '37, Félix annonça au groupe que Mireille et moi serions bientôt initiés. J'étais assez content.

Le lendemain, j'allais au cinéma avec Mireille. Après le film, c'était sacré, on se rendrait aux *Deux Mandolines,* on prendrait un café ou deux, on reviendrait vers minuit chez Mireille, je l'embrasserais, ce serait tout. Ce soir-là, curieusement, elle ne voulut pas entendre parler des *Deux Mandolines.*

— Allons marcher, veux-tu...

J'aimais pas ce petit air câlin, je l'aimais trop.

— Mais j'ai donné rendez-vous à Ben aux *Deux Mandolines*... Il nous attendra pour rien...

— François, fais-moi plaisir... J'aimerais qu'on soit seuls, tous les deux, pour une fois...

Maudit que les femmes sont compliquées ! On s'était fait des règlements sévères, depuis un mois on jouait le jeu, on avait presque réussi à être des copains et voilà qu'on recommençait les balades sentimentales. Elle est pourtant sérieuse, Mireille, plus que moi, elle doit bien le savoir que les jolis sentiers des Plaines d'Abraham aboutissent toujours dans quelque motel sordide.

— François...

Bah ! Allons-y ! On en est plus à un risque près.

Après une longue promenade sur les gazons transis des Plaines, nous aboutissons je sais pas par quel hasard devant le Manège militaire. Il doit être une heure du matin. J'ai froid, mais Mireille a jamais été aussi caressante. Je l'embrasse, je l'embrasse, elle s'est appuyée contre un jeune arbre, je les enlace tous les deux, je lui fais mal, c'est certain, quelques taxis rôdent encore sur la Grande-Allée, il y a plus de piétons depuis longtemps, nous sommes seuls à Québec devant le Manège encore éclairé, un château de rêve, l'envie de perdre la tête, pour la punir peut-être de s'abandonner si facilement, pour me punir de l'aimer mal, est-ce que je sais, faut-il être des saints ?

Bang !

Un bruit formidable, une explosion, comme à deux pas de nous. Je me retourne. Deux gars se sauvent en direction de la porte Saint-Louis.

— Mais c'est Ben ! Avec Félix !

— Non ! Non ! hurle Mireille. Tu es fou ! Viens-t-en. Allons-nous-en, vite !

Elle est affolée, comme hystérique. J'essayais de pas comprendre, de me mentir selon mon habitude en pareille circonstance, mais je comprenais tout, tout, maudit ! Il y avait un peu de fumée devant la grande porte du Manège. Les imbéciles ! C'était donc vrai qu'ils avaient volé des bâtons de dynamite ? On en parlait pas aux réunions du vendredi, on était non-violent à mort le vendredi, mais les autres soirs, quand j'y étais pas, entre purs de purs, on se prenait pour des fellaghas ? Cette nuit, sans le savoir, j'ai joué un rôle là-dedans. Mireille la passionnée, elle s'était pas appuyée par hasard contre le petit érable, elle faisait la sentinelle — maudit ! — et si je fermais les yeux en l'embrassant, elle devait les garder bien ouverts, guettant la P.P.

— Viens ! Mais viens donc !

Je l'écoutais pas, je la serrais toujours contre moi, je claquais des dents, le froid, la rage, le dégoût. J'entendais Ferré ricanant sur l'air de sirène qui remplissait la nuit dégueulasse. La police, elle était partout, elle l'attendait la joyeuse Cellule 315, partout, partout, sur le toit du Manège, à chaque fenêtre, dans les fentes du trottoir, derrière chaque pissenlit congelé. Ça sentait la police à dix milles. Nos braves petits 315, eux, ils avaient rien senti. Avec du Québec libre plein la face, on sent plus, on entend plus, on voit plus, on est des héros, on les emmerde les gars de la P.P., on se moque de leurs gros P.38, de leurs matraques et de leurs menottes. Allez ! En avant ! Vive la république ! On les aura ! Je veux bien, je suis pour la république, je veux bien, d'accord avec le Québec libre, et qu'on nous redonne le Labrador, et même un bout de la Louisiane où il fait chaud l'hiver. Mais c'est peut-être que je suis pas courageux, moi : je trouve ça fou d'aller placer un bâton de dynamite dans le cul d'un inspecteur de la P.P. Faudrait qu'il soit déjà mort, le gars, autrement il appelle les copains, ça vous relance le bâton merdeux dans la face, ça vous flanque en prison avec dix-huit accusations et des poussières, on est battu d'avance par des Canadiens français pure laine, des gars en uniforme qui s'appellent tous Tremblay, Laframboise et Ouellet, des gars pas méchants qui sont un peu séparatistes, le soir, quand ils se débarrassent de leur uniforme et de leur gros P.38. Mais un policier de service, on le sait, c'est un animal, ça raisonne plus, ça fesse dans le tas, ça tuerait dix mille innocents pour empêcher un beatnik de pisser sur la statue de la Reine Victoria. Au fond, je dois être un lâche...

En arrivant au Quartier général de la P.P., rue Saint-Cyrille, nous avons retrouvé Ben et Félix.

Déjà privé de sa cravate, de sa ceinture et de ses lacets, Ben gémissait dans un coin. J'ai voulu m'approcher de lui, il faisait pitié, il avait l'air d'un enfant qui vient de casser la fenêtre panoramique du salon ; je voulais le serrer dans mes bras, il avait besoin d'un père.

Les policiers étaient pas d'accord.

« Assis-toé là, mon petit crisse ! »

Félix, lui, paraîssait en pleine euphorie. Il se prenait pour Louis Riel, il disait au gars de la P.P. que « l'histoire les jugerait un jour ». Le gros sergent rigolait, il s'en foutait pas mal de « l'histoire », il savait que les tribunaux condamnent jamais un sergent-qui-fait-son-devoir.

Mireille répondait aux questions d'un agent en évitant mon regard autant que celui de Félix. Elle devait penser que tout venait de finir entre nous, que tout cela était injuste parce que Félix lui avait jamais parlé de dynamite, qu'on s'était servi d'elle...

Bah ! Que le diable l'emporte ! Ce qu'elle

m'a fait, ça se pardonne pas. Je me le dis, je me le redis, j'ai envie de pleurer ; quand on aime, maudit, la fierté fout le camp ! Un agent l'emmène, il doit y avoir des cellules spéciales pour les femmes. Mireille ! Retourne-toi ! Je t'en veux, je t'en veux à mort, mais tu vois bien que je t'aime ! Elle se retourne pas. Elle est partie. Félix sourit. S'il était plus près, je lui cracherais dans la face. Louis Riel de mon cul ! Grand dégueulasse !

— Je t'ai demandé ton nom, crisse !

Un agent me parle, du vrai théâtre, c'est fou tout ça...

— François...

— François qui ?

— Sigouin.

— Nom du père ?

— Hormidas Sigouin.

— Pas le juge...

— Oui, maudit, le juge !

L'agent regarde le sergent, le sergent regarde le capitaine... C'est presque drôle de la voir enfin de près, leur justice... Le capitaine fait un signe au sergent, le sergent fait un signe à l'agent qui a déjà tout compris. Lui seul est pas d'accord avec ce qui va se passer, lui seul parce que sans grade : un sergent c'est déjà plus du bord du peuple.

Sortie discrète du capitaine. J'ai envie de lui crier le numéro de téléphone de Sa Seigneurie mon père, pas la peine, le procureur général le sait par cœur. Je vois ma mère en robe de nuit courir au téléphone, il se lève jamais la nuit, elle court plus vite que lui qui a jamais couru de sa vie. « Hormidas, c'est le procureur général ! » Elle sait que mon père se lèvera tout de même. Depuis qu'il est juge, c'est plus « un citoyen ordinaire », comme il dit ; ça vote pas, c'est d'aucun parti, ça plane quelque part dans les hauteurs d'où l'humanité ressemble à un peuple de fourmis toutes pareilles. Les seuls humains qu'il remarque encore sont les hommes en place. Il se sait au-dessus d'eux, la loi lui donne le droit de les juger, de les condamner, mais Sa Seigneurie a beaucoup de compréhension pour les puissants ses frères. On croirait qu'il a plus rien à attendre d'eux... Et la Cour d'appel ? la Cour suprême ? les Commissions d'enquête ? Il pousserait des hurlements d'indignation, mon père, s'il m'entendait penser, il se croit au-dessus de tout calcul qui pourrait l'influencer dans l'exercice de son métier de juge, et pourtant... Ah ! ça me tue d'écrire ça... et pourtant, Sa Seigneurie mon père s'écraserait devant un ministre à n'importe quelle heure du jour ou de la nuit.

Il doit être deux heures du matin. On m'a enlevé ma montre. « Hormidas, c'est le procureur général ! » Pauvre maman, elle sait pas encore ce qui l'attend... Même si, vaguement inquiète de pas me savoir rentré, elle écoutait parler mon père, elle comprendrait rien : « Une erreur... Oui, c'est ça, une erreur... Un garçon très rangé... Oui, il s'inscrit en droit en septembre... Si je la connais ? ... Enfin, à peine... Une fille ordinaire... Famille d'ouvriers... Comprenez-moi, je ne vous demande rien... Jamais je ne me permettrais... J'ai une conception trop élevée de la Justice pour même suggérer au procureur général... Mais puisque c'est une erreur ... Je ne doute pas que vous fassiez tout votre devoir... Si on a déjà pris ses empreintes digitales, j'apprécierais... Mais seulement dans le cas où... Je ne veux aucune faveur, aucun passe-droit... Mais, pour le tort même indirect que cela pourrait causer, non pas à moi, mais à la magistrature toute entière déjà tellement décriée dans le peuple... Enfin, agissez selon votre conscience et faites en sorte que les journaux n'ébruitent pas l'affaire... Des journalistes mal intentionnés pourraient même accuser votre police d'arrêter des fils de bonnes familles sans raison valable... Encore une fois, je ne veux aucune faveur... Mais je suis profondément touché de votre délica... »

L'agent me regarde d'un œil méprisant. Il sait, comme moi, comme tout le monde ici, que d'un instant à l'autre on lui donnera l'ordre de me libérer. Dans un sens, j'ai honte devant ce cynique qui a cessé de croire à l'égalité des citoyens devant la Justice. J'aurais presque envie d'exiger qu'on me traite comme les autres, mais ça serait quand même un peu bête puisque je suis innocent, j'aurai besoin de ma liberté pour m'occuper de la défense de Mireille. Je lui en veux, maudit, mais il serait trop injuste qu'elle paye pour les turpitudes de ce crétin de Félix. Regardez-le, l'animal, il est au septième ciel, victime enfin du système capitaliste-bourgeois, il explique au sergent que Gandhi aussi est allé en prison... Si ça l'amuse tant, le Félix, je vois pas pourquoi je me ferais du mauvais sang pour lui, qu'on l'envoie en tôle pour vingt ans, que je retrouve plus jamais sa carcasse aux *Deux Mandolines*. Merde !

Et Ben, comment réagira-t-il ? Son père

est juge, lui aussi, un juge qui joue au bridge avec le procureur général, tous les maudits samedi soirs. Ils se tutoyent. A l'heure qu'il est, ils se sont déjà téléphonés. Tout est arrangé. Mais Ben, mon vieux Ben, présumé innocent jusqu'à preuve du contraire, il était bien là, avec Félix, quand le pétard a éclaté devant la grande porte du Manège. Ça me tuera, mais si on me le demande en cour, je dirai qu'il était bien là, Ben. Comme je connais mon Félix, je suis sûr que c'est Ben qui portait les bâtons de dynamite. Félix touche à rien, un chef. C'est pas mes oignons, c'est pas moi l'enquêteur, mais comment réagira Ben, si sensible et si doux, quand on lui dira tantôt, en même temps que moi, qu'il est libre, que c'est une erreur, qu'on s'excuse ?...

Chapitre X

C'est comme je pensais, faut empêcher le peuple de croire les fils de juge capables d'égratigner la grande porte du Manège militaire. Un Sigouin, même à dix-huit ans, c'est du bord du manche, ça peut pas être séparatiste, ni voleur, ni maquereau, ni athée, ni rien. C'est pas du bon monde, c'est au-dessus du bon monde.

Une heure après notre arrestation, Ben et moi, on était libres. Tout est arrangé, archi-arrangé. Rien dans *Le Soleil,* rien dans l'*Action catholique* ; *La Presse,* c'est trop loin, *Le Devoir,* ça manque de personnel. Le Manège militaire a bel et bien failli sauter et c'est à peine si ça se saura. Les Patriotes de '37 doivent se marrer. Moi ça m'écœure tranquillement. Dans les journaux d'aujourd'hui, il y a un tas de pauvres types qui en arrachent à pleines pages judiciaires : un voleur de banque condamné à deux ans de prison, un voleur de bicyclette condamné à cinq ans, un maquereau s'en tire avec six mois, un ancien ministre véreux

doit payer trois cents dollars d'amende...
Ben et moi, on est même pas dans le journal.
Y a pas de justice !

Avec ma mère, je me suis expliqué, c'est
facile, elle comprend tout, elle m'aime.
Avec mon père, ce sera plus compliqué. Il
s'enferme dans la bibliothèque, il refuse de
me parler, il a juré à ma mère qu'il me parlerait plus jamais. C'est son style. Mais,
pour une fois, j'ai quelque chose à lui dire.
Je suis sans nouvelle de Mireille, on doit la
garder dans une prison de femmes, peut-être
en dehors de Québec. Le procureur général
veut bien étouffer l'affaire en ce qui concer-
ne les deux fils de juge, mais pas tout à fait
pour les autres. Qu'il crucifie Félix, je ver-
serai pas une larme, mais qu'il touche à un
cheveux de Mireille et je fais un scandale.
Elle a rien à voir là-dedans, elle voulait sûrement pas faire sauter le Manège. Enfin,
j'espère... Son seul crime, c'est de pas avoir
un juge ou un ministre dans la famille. Et
ça, je veux le crier à Sa Seigneurie mon père.
Lui, le juge, il devrait comprendre des fois
ce que c'est l'injustice ! Je frappe à la porte
de la bibliothèque maudite, il grogne mais
répond pas. Je tremble de tous mes membres. Non, j'ai pas peur de lui. C'est autre

chose : la rage d'avoir un juge pour père, l'humiliation de demander quelque chose au juge et non au père, tant pis, je fonce.

Il sait que c'est moi, il fait semblant d'être absorbé dans la lecture d'un dossier. Je m'approche de sa table de travail, je m'asseois en face de lui, j'attends. « Votre Seigneurie... » Ça m'est venu, comme ça, malgré moi. C'est seulement quand je me parle que je lui donne parfois de la « Seigneurie ». Même devant ma mère, j'oserais pas. Le plus ahurissant, c'est que ça l'a touché de quelque façon. Curieux personnage ! Il relève la tête, il me regarde, l'œil froid, en juge : « Jeune homme, vous regrettez votre sottise et vous réclamez la clémence de la Cour ? »

Mais qu'est-ce qui lui prend, maudit ? Il me dit « vous »... Il se croit au tribunal... Il se prend pour un juge... Ma parole, il devient fou !

Moi aussi, je me sens un peu fou : je me jette dans ses bras, je pleure, il pleure, on est en plein mélo... Faut en finir. Mais je veux pas le décevoir, c'est la première fois que je le vois pleurer, ça me met tout à l'envers et, en sanglotant comme un cave, je lui fais un invraisemblable discours, aveux, repentir, promesses, le paquet. J'étais pas venu pour ça, mais faut être humain. Il a l'air content. Il a peut-être besoin de drames pour se sentir père. J'en prends note. Mais c'est de Mireille dont je venais lui parler. Il se renfrogne. Oui, oui, il la connaît. Enfin, il l'a entrevue une fois ou deux à la maison. (Elle est venue au moins dix fois au cours des derniers mois, mais il la reconnaissait jamais. C'était voulu, une façon dégueulasse d'indiquer à Mireille qu'elle était pas de notre monde.) Je lui démontre l'innocence évidente de Mireille, je lui crie mon inquiétude à son sujet, elle a pas d'argent, ses parents non plus, elle sera mal défendue par quelque petit avocat sans cause, faut empêcher ça, y a pas de justice. Il reprend le dossier qu'il venait de refermer, il m'écoute plus. J'ai toujours les yeux remplis de larmes, mais ça devient des larmes rageuses et mauvaises. Je discute pas, je hurle, je menace, j'accuse... Mon père m'a jamais vu dans un état pareil. Je pense que ça l'impressionne. « Ce que tu as fait pour moi, ou pour protéger ton nom, fais-le pour Mireille, supplie le procureur général... Sinon, toute la ville, toute la Province le saura que j'étais avec elle devant le Manège, que j'ai été libé-

102

ré par faveur, comme Ben, parce que fils de juge. Je le crierai sur les toits ! Je verrai tous les journaux les uns après les autres, les journaux anglais s'il le faut. » Mon père est devenu blanc, j'ai fait peur à mon père, je suis un homme, c'est merveilleux ! Il est accablé, anéanti, il sait que je lâcherai pas, je deviens plus sigouin que lui... je l'aurai... je l'ai ! Il interviendra en faveur de Mireille, elle sera libre dans les vingt-quatre heures. Parce que mon père est juge. Y a pas de justice...

Félix, au moins, il s'en sortira pas facilement, ça manque de juges dans ses relations, je veux pas l'accabler, j'irai témoigner contre lui seulement si la police me prend de force, je suis tranquille, on osera pas...

A son enquête préliminaire, il y était pas, le Félix. Un des plus gros avocats de Québec le représentait, comme par hasard ; il y avait pas un journaliste dans cette salle du Palais de Justice, comme par hasard ; c'est un huissier qui m'a tout raconté : « Ça s'est bâclé en douze minutes. L'avocat a fourni un certificat médical. C'est un cardiaque, votre Félix. Il a fait une syncope dans sa cellule, on l'a transporté d'urgence à l'hôpital. Le juge l'a libéré contre un cautionnement de neuf cent cinquante dollars. C'est

Lemieux qui a payé, Lemieux, vous savez le croque-mort... » Oui, je sais, André-S. Lemieux, quasiment millionnaire et pédéraste bien connu de la Vieille Capitale. Je comprends très bien. Félix s'en tirera lui aussi, André-S. Lemieux mettra l'argent qu'il faut, le meilleur avocat et tout. Leur petit monde, c'est la plus efficace des franc-maçonneries, avec ses médecins, ses policiers, ses avocats, et, sûrement, ses juges. André-S. Lemieux les connaît tous. Il sauvera son petit Félix, il arrangera tout, à sa façon, discrétion garantie, en toute légalité, un certificat médical attendra pas l'autre, l'avocat obtiendra remise sur remise, en toute légalité, il y aura les vacances judiciaires, le policier qui a arrêté Félix sera promu inspecteur, il faisait bien noir cette nuit-là, après des mois il est difficile de jurer que le jeune homme devant le Manège avait les cheveux blonds, bien sûr, Monsieur l'inspecteur, en toute légalité, on retire la plainte, Félix refait sa santé en Floride, à Fort Lauderdale, sur le yacht d'André-S. Lemieux, un capitaine et trois hommes d'équipage, un yacht vraiment magnifique, dans les 80,000 dollars, tout blanc, avec un drapeau fleurdelysé par derrière.

Voilà ! Toute cette sale histoire est bien finie. Je me remettrai mal de mon écœurement, ma belle innocence est écrabouillée pour toujours, mais au moins c'est fini. J'essayerai d'y penser le moins possible, de revoir Mireille, bientôt, plus tard, je sais pas encore, de replâtrer notre amour d'enfants, peut-être, si c'est possible, je sais pas encore, de retrouver`Ben, notre amitié fêlée, un jour, c'est pas facile, on verra, pas une vie d'être seul, pas sérieux d'exiger des autres qu'ils soient des purs de purs, qu'est-ce qu'on aurait fait à leur place, hein ? dans leur peau ?

C'était décidé, j'oublierais tout. Mais ils ont fait une bêtise, en haut, quelque part. Les écœurants d'adultes se croient bien rusés, mais ce sont des enfants maladroits, très sûrs d'eux-mêmes, ça donne l'impression de tout prévoir, mais ça finit par faire une saloperie de trop, c'est immanquable.

Je lis rarement les chroniques judiciaires, ça m'écœure, je peux pas supporter le genre d'humour des reporters du Palais, ils me font jamais rire avec les malheurs des ivrognes, les drames de la vie conjugale et les mésaventures des pauvres putains de la Terrasse. Ça se fait arrêter, ça se défend comme ça peut, en joual, le juge fait de l'esprit *(rire de l'assistance)* et les envoie « au violon » d'un geste ennuyé, y a rien de drôle là-dedans, ça me tue.

Ce soir, un tout petit titre du *Soleil* attira mon attention. Trois fois rien, sur une colonne, cinquante lignes coincées entre une annonce de *Molson* et la liste des dernières faillites :

« RÉVOLUTIONNAIRE » EN VESTE DE CUIR ARRÊTÉ À MONTRÉAL

DNC — Un adolescent de 18 ans, Jean-Guy Laflamme, un Québecois qui s'était « réfugié » à Montréal depuis un mois, a été arrêté grâce au flair de l'inspecteur Vachon, fin limier de la Police provinciale. Après un interrogatoire sans doute habilement mené, Laflamme a avoué qu'il était le seul responsable d'une attaque à la dynamite contre le Manège militaire de Québec en décembre dernier. On se souvient qu'un jeune homme de Québec avait été arrêté en marge de cette affaire et finalement relâché faute de preuve. Laflamme, qui se prétend mécanicien, était sans emploi au moment de son arrestation. Revêtu d'une veste de cuir et des « jeans » traditionnels, l'adolescent flânait devant l'entrée d'une taverne quand son allure louche attira l'attention du perspicace inspecteur Vachon. Conduit au Quartier général de la Sûreté, Laflamme avouait tout, trois heures plus tard. Voilà une

Je voulais pas y croire. J'ai relu la nouvelle dix fois, vingt fois...

Mireille et moi, on s'en était tiré grâce à Sa Seigneurie mon père, Ben grâce à l'intervention de son juge de père à lui, et Félix, responsable de tout, — il avait vingt et un ans, non ? — il se faisait dorer la carcasse en Floride sur le yacht d'André-S. Lemieux. C'était écœurant et dégueulasse mais c'était fini, on en parlerait plus. Et voilà qu'un zélé d'inspecteur—il veut être général ou quoi? — rouvrira le dossier et s'acharnera sur ce petit imbécile de Jean-Guy. Il a jamais rien compris Jean-Guy, il croira que tout s'arrangera pour lui comme pour les quatre autres, d'autant plus qu'il était pas devant le Manège, ce soir-là. Il savait rien, Félix lui disait jamais rien, il était une sorte de décoration dans la Cellule 315, Félix voulait un mécanicien dans son entourage, un ouvrier, un pauvre, il lisait Marx, des fois, Félix. Pauvre Jean-Guy ! Pauvre innocent ! C'est ça qui te perdra, ton innocence, tu as pas de juge dans la parenté, tu as pas d'ami millionnaire et pédéraste, tu es mécanicien, cassé, innocent par-dessus le marché : tu es foutu !

Je l'aimais pas beaucoup, Jean-Guy. Mais je peux pas supporter l'idée de le savoir derrière les barreaux, quelque part dans cette grande putain de Métropole. Québec, c'est une ville dégueulasse pour les pauvres, Montréal, c'est encore pire, c'est impitoyable, c'est trop grand pour un petit Québecois. J'imagine mon Jean-Guy au beau milieu de l'Atlantique, tout seul, accroché à une bouée, sait pas nager, il croit qu'on viendra le secourir, qu'on enverra des hélicoptères, peut-être, pauvre cave ! Je sens qu'il va se noyer tout doucement, sans comprendre ce qui lui arrive, j'en dors pas de la nuit, c'est trop écœurant, il appelle même pas au secours, il est tellement sûr qu'on viendra. Félix, peut-être, en yacht blanc ! Merde ! Je peux pas laisser faire ça, après tout le reste...

D'habitude, je prends mon café dans la cuisine, avec Suzanne. Un quart d'heure avant mon père. Ce matin, je l'attends, au bout de la table, le plus loin possible mais en face de lui. Sa Seigneurie se doute de quelque chose, on est pressé, une grosse cause, on enfile son café, on se lève. Minute ! Je lui lis tranquillement la nouvelle du *Soleil*. Il l'avait lue aussi, bronche pas, se relève. Minute ! J'ai à peine prononcé le mot « injustice » qu'il éclate. Une vraie colère à la Sigouin. Noble, cinglante, plutôt belle. Cette fois, il est sûr d'avoir raison, il m'écrase avec une évidente sincérité. Quoi ? J'ose lui parler d'injustice ? Après avoir imploré son intervention pour faire libérer Mireille, sûrement complice ? Après avoir moi-même profité de son influence ? Et voilà que je recommence, que je parle encore d'injustice ? Tu dépasses les bornes, mon garçon, tu joues les purs, tu fustiges l'autorité, les ministres, les juges, les avocats, les « bourgeois », comme tu dis, et tu oses demander une fois de plus qu'on empêche la justice de suivre son cours ? Il est presque admirable dans sa belle assurance. Il avait bien lu la nouvelle, il s'était renseigné auprès du procureur général : Jean-Guy a fait des aveux complets, pas de doute, c'est bien lui qui a placé les bâtons de dynamite au Manège militaire.

Je hurle que j'étais là, moi, ce fameux

soir, mieux que le procureur général, je sais *qui* s'est sauvé, en courant, après l'explosion. Ben et Félix, je les ai vus, de mes yeux vus. Y avait pas de Jean-Guy dans le paysage. Je l'avais rencontré deux heures plus tôt, à la sortie du cinéma, il s'en allait aux *Deux Mandolines,* il y était sûrement encore au moment de l'explosion, on trouverait des témoins, un alibi parfait, maudit !

J'ai une impression épouvantable : pour la première fois, mon père me croit pas. Je mens pour sauver un copain, il en est sûr. Je pleure de rage... Il m'a jamais aimé, mais il m'a toujours cru, c'était tout de même quelque chose. Pour lui, j'étais un adolescent survolté, un peu idéaliste sur les bords, des maladies en somme tolérables, ça se guérit avec les années. Ce matin, il me croit Sigouin comme lui, avocat de la défense sans scrupule comme l'oncle Jean-Luc. Dans un sens, ça le rassure, mais il me méprise autant qu'il méprise le Jean-Luc. Une côte impossible à remonter, je me sens vaincu au départ... pour la première fois de ma vie, je voudrais mourir.

Je passe le reste de la maudite journée dans ma chambre, avec le vieux Ferré qui a toujours raison, ma chambre, mon monde,

110

mes rêves d'imbécile, la photo de Mireille, une bouteille de Chianti vide, une tour Eiffel en plâtre, quelques piles de livres, une boîte de machin contre l'acné, l'agnus dei de la Séverine, toute ma petite vie, rien du tout... et ça veut mourir ! A côté du pick-up se dresse déjà, obscène, le tube de barbiturique. Du cinéma. Quel bon tour je pourrais lui jouer à Sa Seigneurie... Il aurait pas de peine, vraiment, mais ce qu'il serait furieux. Et pour une fois, il pourrait pas étouffer l'affaire, même chez les juges il y a des scandales-qui-se-savent. Un plan en or : ce soir, sous un faux nom, je loue une chambre au Y.M.C.A., je bouffe mes pilules et on me retrouve demain, raide et froid, sans une pièce d'identification dans les poches, anonyme, désigouinisé. Un cas pour la morgue, quoi, avec un gérant de Y.M.C.A. affolé, sa conscience d'Anglo-protestant chauffée à blanc, des nouvelles plein les journaux, une machine impossible à arrêter, une belle affaire inétouffable.

⤚

Elzéar est venu tout gâcher. Elzéar, le Sigouin pas comme les autres, le phénomène du clan, le monstre. Cher monstre, sans toi, j'allais vomir tous mes ancêtres une fois pour toutes. Pourquoi es-tu venu ?

Jusqu'à la mort de sa femme, je l'avais à peine remarqué Elzéar, c'est-à-dire que je l'aimais bien, comme ça, il venait rarement et chaque fois me faisait rire avec ses merveilleuses pitreries, mais j'avais pas deviné la flamme qui brûlait en lui, menaçant à chaque instant d'enflammer toute sa carcasse, comme un fagot sec.

Un cœur, Elzéar, un esprit, Elzéar, des tripes. Un jour que j'étais presque aussi écœuré qu'aujourd'hui, — j'allais bazarder le truc de l'âme immortelle, avec tout le reste, sur le tas énorme des vérités tranquilles qui m'encombraient la cervelle depuis Séverine, — il était arrivé, comme ça, sans prévenir. « Mon petit François... » Il m'aimait, c'était plus fort que tout. Ses arguments, je m'en souviens pas, mais j'avais touché, de mes mains touché une âme : fallait bien y croire. J'en avais tremblé pendant une bonne demi-heure, comme la fois que j'ai découvert que j'avais un sexe.

Ce soir, pourquoi est-il venu ? Il devine tout, Elzéar, le Bon Dieu, Elzéar. Je l'ai même pas entendu ouvrir ma porte, elle était pourtant fermée à clé, je pourrais le jurer. J'entendais seulement Ferré, je me gavais de Ferré, en fou, accroché à mon oreiller comme à une bouée de sauvetage, presque noyé. Avant d'entrer, il avait pris la peine de mettre son veston à l'envers, de poser sur son nez des petites lunettes 1900, il avait l'air d'une vieille institutrice de La Malbaie. Je savais bien que l'envie lui manquait de faire le maudit clown depuis la mort de sa femme, sa Béquille, comme il l'appelait ! Mais il aimait trop les autres pour leur voler même une miette de bonheur. Un éclat de rire, c'est au moins ça, qu'il disait, une miette de bonheur, une poussière de joie qui fait éternuer le cœur.

J'avais pas le goût de rigoler. Le Ferré m'avait eu, encore une fois, et la sale pluie d'Ostende tombait drue sur mon oreiller. Mais en apercevant cette invraisemblable petite vieille qui louchait par dessus ses lunettes, j'ai pas pu m'empêcher de rire. Elle en fit, la vieille, des grimaces et des hoquets. Plus je riais, plus elle en inventait, et je riais aux larmes, larmes pour Ferré, larmes pour Elzéar, pareilles, tout est pareil, maudit de maudiiiit... la joie c'est de l'angoisse bien habillée !

Puis, brusquement, il remit son veston à l'endroit et fit sauter les lunettes, plus de vieille, seulement Elzéar, tendre, triste et disponible.

Je lui raconte toute l'affaire, je lui explique pourquoi j'accepterai jamais la sorte de justice qui fera condamner Jean-Guy, il est d'accord, il m'encourage, c'est formidable de plus être seul avec une idée folle. C'est un adulte, Elzéar, je le blâmerais pas de vouloir me calmer un peu, je l'écouterais peut-être. Il est plus fou que moi encore, de cette folie qui sauve parfois l'humanité, il invente des solutions fantastiques, c'est pas un Sigouin cet immense adolescent révolté et vibrant, c'est un homme.

Comme deux complices, nous mettons le projet au point. C'est tellement simple que ça devrait marcher. Demain matin, avant l'arrivée des députés, j'irai à la galerie de la presse du parlement. Il y a là les correspondants de tous les journaux du Québec, plusieurs de Toronto, peut-être un gars du *Time*. Je leur dirai qui je suis, le fils de l'honorable juge Hormidas de L. Sigouin, je leur raconterai tout, toute la vérité sur l'incident du Manège, comment Félix, Ben et moi on s'en est tiré, pourquoi Jean-Guy a rien à voir dans tout ça, la vérité, toute la vérité, rien que la vérité. Je serai calme, implacable, sûr de moi, ils me croiront.

⌒

Ils m'ont pas cru, les dégueulasses. Ils écoutaient, prenaient des notes, posaient des questions, mais je sentais qu'ils me croyaient pas. Le gars du *Soleil* est parti au bout d'une demi-heure, c'était clair, il s'en allait avertir qui de droit, peut-être le procureur général. Il est revenu, il a chuchoté quelque chose aux autres, les faces changeaient, on prenait plus de notes, j'étais foutu.

⌒

Quatre murs, il y a des barreaux aux fenêtres, près de moi un homme en blanc me parle doucement, comme à un malade. « Détendez-vous », répète-t-il. On m'a fait une piqûre, tout est devenu beau, même les choses moches auxquelles je pense confusément, comme dans un cauchemar, me semblent aimables, le plafond valse, je veux que ça dure toujours. « Détendez-vous ». Je l'entends à peine, le gars, il se met à murmurer, il y a sûrement quelqu'un d'autre dans la cellule, j'entends un mot par ci par là, c'est amusant et sans conséquence : « Tendances paranoïaques... Rien de... vraiment grave... Rassurez-vous... Ici... à Saint-Michel-Archange... » J'aime cette voix douce, je voudrais l'entendre toujours, une vraie musique, des mots qui chantent, des caresses sur un piano, j'ai envie d'applaudir mais j'ai pas la force, j'ai un corps de plomb, je m'enfonce de plus en plus profondément dans le matelas dur, pourvu que maman s'inquiète pas, je me sens si bien, il fait soleil dans ma tête, je deviens très doux, très conciliant, je sais que bientôt je vais dormir, la vie est belle aujourd'hui, je me demande si ça serait pas plus simple d'être un Sigouin comme les autres, je ferais mon droit, tout s'oublie, oh ! quel soleil, je serais avocat, j'aurais une belle femme aux longs cheveux noirs, avec de longues jambes dures, c'est bien agréable, un appartement au *Claridge* avec des murs tout blancs et des tentures de velours, du whisky plein l'armoire, je lirais *Paris-Match* le soir dans mon lit en caressant ma longue femme, *Arpèges* de *Lanvin*, ça sent bon, et puis un jour, je serais juge.

FIN

116

DOSSIER

QUI EST DONC FRANÇOIS SIGOUIN?

« Où, quand, pourquoi, comment vous avez écrit ce petit roman? » me demande Roch Carrier, directeur de la collection Québec 10/10. Si mes souvenirs sont exacts, je ne lui avais rien demandé de la sorte en 1964, quand le jeune homme timide qu'il était alors me présenta le manuscrit de *Jolis deuils,* le premier livre de Roch Carrier qui devait bientôt devenir un des écrivains les plus importants de sa génération. Président des Éditions du Jour, j'étais à l'affût de tous les jeunes romanciers en puissance qui avaient encore échappé à l'attention de mes concurrents, les éditeurs bien établis.

Ce jour-là, je n'avais donc rien demandé à Roch Carrier, sauf peut-être la liste de ses invités au lancement imminent de ce recueil de contes tout à fait remarquables. Quand un manuscrit me plaisait, j'avais toujours envie de le publier le lendemain matin. Et je ne posais pas de questions!

Les éditeurs d'aujourd'hui sont plus curieux. Et voilà qu'on m'oblige à monter péniblement au grenier de mes souvenirs, ce que j'abhorre, l'instant présent et les rêves les plus fous me paraissant mille fois plus amusants que tout mon sacré passé.

Sans doute parce que j'ai été longtemps éditeur, je suis le plus docile des auteurs et je raconterai donc, une fois pour toutes, « où, quand, pourquoi, comment » j'ai écrit *Les écoeurants*.

Tenez-vous bien: c'est à cause de Wilbert Coffin et de Pierre Elliott Trudeau! Forcément, pour la génération actuelle, cela exige quelque explication...

Au début des années 50, Wilbert Coffin était un modeste prospecteur gaspésien. Trois chasseurs américains ayant été assassinés dans la forêt, près de Gaspé, le procureur général

119

de l'époque, Maurice Le Noblet Duplessis, également premier ministre du Québec, avait aussitôt ordonné à *sa* police de trouver le coupable, coûte que coûte, pour démontrer aux Américains qu'on ne massacrait pas impunément les touristes dans la bonne et belle province catholique et française.

Wilbert Coffin avait eu des contacts avec les trois chasseurs américains, en fait il les avait dépannés: cela suffit à le transformer en suspect et bientôt en coupable d'un triple meurtre. Jusqu'à ce jour, je reste persuadé que cet homme était innocent et que son procès, tenu à Percé en juillet et août 1953, constitue un scandale. Il fut pendu le 9 février 1956.

M'étant intéressé à cette sombre histoire, je publiai un premier livre deux ans plus tard: *Coffin était innocent*. Et encore un autre, en 1963, cette fois un pamphlet dévastateur intitulé: *J'accuse les assassins de Coffin*.

Le 8 janvier 1964, à la suite de formidables pressions de l'opinion publique, le gouvernement québécois, alors dirigé par Jean Lesage, créa une commission royale d'enquête « sur les policiers et les avocats dont les agissements avaient abouti à la condamnation et à la pendaison de Wilbert Coffin... »

Dès la première audience publique de la commission, je compris que, à toutes fins pratiques, l'accusé c'était moi, l'auteur d'un livre qui discréditait l'appareil judiciaire du Québec. Chance inouïe, deux avocats m'offrirent généreusement leurs services: Me Raymond Daoust, le plus prestigieux criminaliste de ce temps-là, et Me Pierre Elliott Trudeau, professeur de droit constitutionnel à l'Université de Montréal, qui lui avait longtemps fermé ses portes par crainte de déplaire au premier ministre Duplessis. Le « Chef » n'aurait pas toléré qu'un « gauchiste » de cet acabit enseigne dans une université qu'*il* subventionnait!

Pierre Trudeau était un vieil ami: « Tu auras sûrement besoin d'un procureur... Bien entendu, tu peux compter sur moi. » Il obtint de l'université un congé sans solde d'un mois, ce qui, selon tous les observateurs, devait être la durée de la commission d'enquête. Hélas! il fallut siéger quatre cent quinze heures, entendre quelque deux cents témoins, examiner quatre cent trente-six pièces à conviction au cours de cent quarante-quatre jours d'audience à Montréal, à Percé et surtout à Québec.

Pierre Trudeau ne pouvait évidemment pas prolonger son congé de l'université sans risquer de perdre son emploi, et Raymond Daoust retarder davantage les causes de meurtres pour lesquelles il avait obtenu, non sans difficulté, remise sur remise. Je les priai donc de retourner à leurs occupations; fort heureusement, la commission avait accepté qu'en l'absence de mes avocats j'agisse à leur place pour l'interrogatoire des témoins.

Juridiquement, mes deux procureurs demeuraient au dossier et je les consultais le plus souvent possible. Le dernier jour de l'enquête, Pierre Trudeau avait tenu à venir à Québec, à s'asseoir à mes côtés afin que la commission et tout le monde n'oublient pas qu'il était toujours mon procureur, loyal et solidaire.

À la fin de cette ultime audience publique, nous étions tous les deux convaincus que le président et unique membre de cette étrange commission, hostile dès la première heure, publierait un rapport qui, pour dire le moins, serait plutôt mauvais. Il le fut à un point tel que trois des personnages que j'avais fustigés dans *J'accuse les assassins de Coffin* s'empressèrent de prendre contre moi des actions en diffamation pour une somme totale de 125 000 $, alors que le ministre de la Justice du Québec, l'honorable Claude Wagner, me fit arrêter et juger pour outrage au tribunal. On me condamna à trois mois d'incarcération et à trois mille dollars d'amende. Après quelques jours à la vieille prison des Plaines d'Abraham, je fus libéré sous caution et éventuellement acquitté par la cour d'appel.

Mais revenons à ce dernier jour de l'enquête, à Québec, le 3 juillet 1964. Pierre Trudeau, mon fidèle procureur, m'invita à dîner dans un petit restaurant fameux pour sa soupe aux huîtres, l'Aquarium. Tous les deux, nous étions furieux de la tournure de l'enquête, et moi encore plus que lui.

« Ce soir même, » dis-je à mon ami, « je commence à écrire un troisième livre sur l'affaire. J'ai déjà le titre: *Autopsie de l'affaire Coffin.* »

Pierre Trudeau me regarda droit dans les yeux et me dit ceci, que je ne pourrais jamais oublier: « Oui, il faut écrire un autre livre sur l'affaire Coffin. Celui-là, nous l'écrirons ensemble, comme *Deux innocents en Chine rouge*... Mais pas tout de suite. Dans un an, peut-être. En ce moment, l'opinion publique s'est passablement retournée contre toi, le rapport de la commission sera sans doute défavorable à ta thèse; si tu écris un nouveau livre, on finira par croire que cette affaire est, pour toi, une sorte d'obsession. Pendant un an, oublie Coffin... Et pour te changer les idées, pourquoi n'écrirais-tu pas un roman? Tu es un assez bon conteur... Alors, pourquoi pas un roman? »

Non, je n'oublierai pas cet instant: devant moi, j'avais un authentique ami qui, avec raison, ne voulait pas que je m'empêtre davantage dans une aventure pour l'heure sans issue. Il souhaitait que je me repose, que je me désintoxique, que je tourne la page, avant d'en écrire d'autres, plusieurs autres, avec lui.

« D'accord! »

Pierre s'en retourna à Montréal et moi à ma petite chambre du 49½ de la rue Saint-Louis, en face de ce Palais de justice où, pendant les longs mois de l'enquête Coffin, je m'étais à jamais dégoûté de la police, des avocats, de tout le maudit système judiciaire du Québec!

Seul dans ma chambre à 4 $ par jour, qui sentait un peu le moisi, je pris une feuille de papier et j'écrivis: « Je m'appelle François Sigouin. 'Pas de *la* famille Sigouin, les juges et tout?' »

Les premières lignes d'un tout petit roman qui n'aurait jamais existé sans Wilbert Coffin, sans Pierre Trudeau et, bien sûr, sans l'adolescent que je fus et qui, par certains côtés, ressemble vaguement à François Sigouin.

Saskatoon, le 11 juillet 1986

Jacques Hébert

EXTRAITS DE LA CRITIQUE

« ... La voix drue et cinglante de la révolte... Endossant la personnalité d'un jeune « écoeuré » de dix-sept ans, fils et petit-fils de juges, Jacques Hébert dénonce, avec une indignation pleine de verdeur, la race des bourgeois sans-coeur, hypocrites et profiteurs. Appuyé sur une observation satirique de nos moeurs, ce court roman est, à sa façon cavalière, un chaleureux plaidoyer en faveur de la Vie et de la Justice. »

Paule Saint-Onge
Châtelaine, juin 1966

Disons tout de suite que ce petit livre, à la fois récit, mémoires et pamphlet, étonne par son ton et son contenu. Évidemment, ce qui ne surprendra personne, c'est que M. Hébert considère certains membres de nos élites comme des écoeurants: ces gens-là portent bien le surnom que le peuple leur donne, car écoeurants, ils le sont à plus d'un titre. Le mot n'est guère trop fort, je m'empresse de le dire. Mais parlons plutôt du personnage dans la peau duquel M. Hébert s'est mis: il s'agit d'un étudiant de dix-sept ans, fils d'un juge, et Québécois par surcroît. On imagine la scène: le milieu faussement aristocratique de la Vieille Capitale. La prétention et le ridicule de ces gens! Le jeune homme a honte de sa condition privilégiée parce qu'il sait trop bien qu'elle repose sur l'imposture sociale. Il a honte, donc il se révolte. Voilà en quoi consiste le tour de force qu'a réussi M. Hébert: oubliant qu'il a quarante ans, il parle comme s'il était lui-même François Sigouin et révolté. La sensibilité de cette génération, il la perçoit et l'exprime. (...)

Ceci dit, il reste que ce jeune homme est une victime; une victime exemplaire, je veux bien, mais qui ne représente

125

pas toute notre jeunesse. Car nos classes moyennes et notre classe ouvrière ont donné naissance à des jeunes hommes qui ne manquent ni de caractère ni de vertus, et qui échappent à l'odieux déterminisme social auquel succombent les jeunes Sigouin. Il y a, en effet, beaucoup de jeunes qui ont décidé qu'il n'y avait plus d'avenir au Québec pour les écoeurants. Quant à M. Hébert, il vient de témoigner contre cette race indigne et il l'a fait avec une verve qui rappelle le Salinger de *l'Attrape-coeurs*.

André Major
Le Petit Journal, 3 avril 1966

Le livre que Jacques Hébert publie sous le titre de « Les écoeurants » n'est pas tout à fait un roman. Disons qu'il s'agit d'un récit. Imaginaire, bien sûr, mais collant de si près à la réalité qu'il a tout l'impact d'un documentaire. À peu près tout est vraisemblable, naturel, dans ce petit livre: les gestes, les paroles, les événements. Jacques Hébert a réussi à s'effacer complètement derrière son personnage. Ce n'est pas un auteur qui parle, mais un jeune homme de dix-sept ans, Québécois, fils et petit-fils de juge, qui sera compromis dans un acte de terrorisme, s'en tirera grâce aux influences du paternel, et tentera sans succès de faire éclater la vérité. À la fin, il est sous les soins d'un psychiatre à Saint-Michel-Archange, et se demande « si ça ne serait pas plus simple d'être un Sigouin comme les autres »...

Jacques Hébert, dans ce récit, ne s'embarrasse pas de subtilités psychologiques. Dans un style dru, rapide, qui doit sans doute beaucoup à Salinger, il brosse le vivant portrait d'un jeune Canadien français d'aujourd'hui. C'est criant de vérité, comme un bon instantané. Jacques Hébert a réussi dans « Les écoeurants », un petit tour de force de reportage imaginaire qui vaut bien des romans plus laborieusement construits.

Gilles Marcotte
La Presse, 30 avril 1966

La première zone du langage romanesque est la plus banale: c'est celle de la simple relation des événements qui viennent encombrer une existence. Ici, nous n'adressons aucun reproche au romancier: ce qui se produit dans la vie de François est possible: cela constitue la froide réalité de l'aventure humaine.

La seconde zone du langage, infiniment plus importante que l'autre, est effectivement celle qui crée, anime et humanise un roman. C'est toute la part de la subjectivité, des nuances, des élans et des reculs, des affirmations et même des contradictions qui confèrent au récit son originalité et son authenticité. Pour arriver au but, surtout dans un roman rédigé à la première personne, le romancier doit permettre à son personnage l'utilisation d'une langue souple, variée, remplie.

Au-delà de la stricte narration des faits, rien n'existe plus dans *Les écoeurants* de Jacques Hébert. L'analyse, l'interprétation, l'examen attentif, l'inquiétude et le dépit du personnage, ses moments tristes et ses quelques heures de joie, tout se trouve comprimé puis extériorisé par les quelques seuls mots *écoeurant* et *maudit*. Maudit est le mot clef, le passe-partout, toute la dialectique de ce roman. Quand on l'a entendu une fois, on a tout entendu.

Les romanciers canadiens-français qui se proclament hautement des privilégiés de la liberté d'expression ne nous convaincront pas en les refusant à leurs propres personnages. En leur enlevant le droit au vocabulaire français sous prétexte d'authenticité ou de témoignage vivant, ils ne produisent que des textes sans relief et de pauvres romans. S'ils veulent éviter cet écueil, ils n'ont d'autre choix que de revenir à la tradition du roman à la troisième personne, avec dialogues joualisants et paragraphes de narration analyse. À ce moment-là, ils n'auront plus besoin de cacher leur jeu, leur rôle d'empêcheur sera joué face au spectateur.

André Renaud
Livres et auteurs canadiens, 1966

Les écoeurants fut adapté pour le théâtre et joué par André Brassard. Lisons une des critiques:

Si vous voulez injurier votre pire ennemi à la mode d'aujourd'hui, appelez-le bourgeois. Son sort est réglé. Il n'est pas mieux que mort. C'est un homme fini, dont la seule vocation n'est plus que de disparaître, d'aller se cacher, par exemple, à Miami ou aux Bermudes. Un pestiféré, quoi! (...)

Le plus étrange — et le plus ridicule — c'est que les plus enragés anti-bourgeois sont souvent d'authentiques bourgeois « nourris dans le sérail » et qui ne veulent absolument pas en sortir. Et combien de braves résidents des quartiers populaires de Saint-Henri ou Saint-Sauveur n'aspirent de toute leur âme qu'à l'assouvissement d'un seul désir: grimper la Pente Douce, à Québec, ou la côte de la Glen, à Montréal, et aller s'installer à la Haute Ville ou à Westmount et N.D.G. et faire goûter à leurs enfants le confort et la sécurité de ces bourgeois « écoeurants ».

Ces réflexions, réactionnaires je le sens bien, peuvent en effet venir à l'esprit en écoutant le jeune André Brassard débiter les propos de Jacques Hébert, tirés de son dernier ouvrage *Les écoeurants,* sous le titre de *Je m'appelle François Sigouin,* sur la scène du Gesù. (...)

(...) un jeune collégien québécois, François Sigouin, lance un long cri de révolte contre son milieu ultra-bourgeois — il est fils et petit-fils de juge, habite une grande maison cossue de la Haute Ville, à Québec, et, bien sûr, fréquente le collège des Jésuites.

Ces bons Pères, si d'aventure ils vont écouter le violent récit de la jeune histoire de leur élève, ne reconnaîtront pas toujours le langage correct et châtié qu'ils ont dû lui enseigner en même temps que les bons principes de vie. Ils frémiront peut-être d'ouïr ses jugements impitoyables et sans appel, précisément sur son juge de père, comme sur bien d'autres choses. Honteux et attristé, son professeur de rhétorique chuchotera-t-il avec le poète: Comment en un plomb vil... pendant que son préfet de discipline jurera de lui laver la tête, judicieusement.

À moins qu'on ne reconnaisse dans cette fulgurante flambée d'indignation, l'explosion spontanée d'un vif désir, trop longtemps contenu, de pureté, de justice d'un adolescent intransigeant choqué par les vilenies des hommes. Car François Sigouin est propre et généreux et, à travers ses excès de langage, perce chez lui, plus que de l'aigreur: un grand besoin d'amour et de tendresse, ce qui nous le rend sympathique malgré tout. Et comment ne pas soupçonner que François Sigouin est le porte-voix de quelqu'un qui eut quelquefois maille à partir avec des juges...!

Georges-Henri d'Auteuil, s.j.
Relations, octobre 1968

OEUVRES DE JACQUES HÉBERT

Autour des trois Amériques (Beauchemin, 1948)
Autour de l'Afrique (Fides, 1950)
Aïcha l'Africaine (Fides, 1950)
Aventure autour du monde (Fides, 1952)
Nouvelle aventure en Afrique (Fides, 1953)
Coffin était innocent (Éditions de l'Homme, 1958)
Scandale à Bordeaux (Éditions de l'Homme, 1959)
Deux innocents en Chine rouge
    — en collaboration avec Pierre Elliott Trudeau
    (Éditions de l'Homme, 1960)
J'accuse les assassins de Coffin (Éditions du Jour, 1963)
Trois jours en prison (Club du Livre du Québec, 1965)
Les écoeurants (Éditions du Jour, 1966)
Ah! mes aïeux (Éditions du Jour, 1968)
Obscénité et liberté (Éditions du Jour, 1970)
Blablabla du bout du monde (Éditions du Jour, 1971)
La terre est ronde (Fides, 1976)
Faites-leur bâtir une tour ensemble (Héritage, 1979)
Le grand branle-bas
    — en collaboration avec Maurice F. Strong
    (Quinze, 1980)
L'affaire Coffin (Domino, 1980)
La jeunesse des années 80: état d'urgence (Héritage, 1982)
Voyager en pays tropical (Boréal Express, 1984)
Trois semaines dans le hall du Sénat (Éditions de l'Homme, 1986)

TABLE DES MATIÈRES